GIL GIARDELLI

PENSANDO O IMPENSÁVEL

Título original: *Pensando o impensável*

1ª edição: Maio 2022

Autor:
Gil Giardelli

Preparação de texto:
João Paulo Putini

Revisão:
3GB Consulting e Fernanda Guerriero Antunes

Projeto gráfico e capa:
Jéssica Wendy

DADOS INTERNACIONAIS DE CATALOGAÇÃO NA PUBLICAÇÃO (CIP)

Giardelli, Gil
Pensando o impensável : como sobreviver a um presente caótico e preparar-se para um futuro promissor / Gil Giardelli. — Porto Alegre : Citadel, 2022.
256 p.

ISBN 978-65-5047-153-8

1. Mudanças sociais 2. Tecnologia 3. Revolução digital 4. Inovações tecnológicas 5. Pandemia I. Título

22-1746 CDD 303.4834

Angélica Ilacqua - Bibliotecária - CRB-8/7057

Produção editorial e distribuição:

contato@citadel.com.br
www.citadel.com.br

GIL GIARDELLI

PENSANDO O IMPENSÁVEL

COMO SOBREVIVER A UM PRESENTE CAÓTICO E PREPARAR-SE PARA UM FUTURO PROMISSOR

2022

Sumário

ELOGIOS AO LIVRO

"Impossível de se pensar, de se supor, inimaginável, inconcebível, o impensável.

Tudo aquilo que não pensamos habitualmente, como e porque existem pessoas que conseguem não só pensar além dessa vida terrena, como conseguem enxergar vidas futuras.

Por que existe o amor, a fé, a amizade, a empatia, a compaixão que nos levitam, e ao mesmo tempo nos transportam e nos permitem chegar naquele lugar, quase impossível.

Não existem fronteiras para o pensamento, deveria mesmo, em alguns casos, existir fronteiras para a ação se ela não for do bem.

Não existem palavras para expressar como o Gil Giardelli consegue, como poucos, pensar o impensável. Tenho certeza de que esse livro será um caminho sem volta na sua imaginação, mas acima de tudo no seu coração."

– Carmela Borst

Fundadora da SoulCode e eleita uma das mulheres
mais poderosas da tecnologia

"No livro pensando o impensável, Gil Giardelli faz um passeio pela história, nos fazendo refletir sobre o futuro.

Aquilo que já foi considerado sonho, hoje, faz parte do nosso presente. Estamos imersos numa revolução. Somos levados a entender que estamos escrevendo o futuro de várias gerações nesse momento de grande aceleração!

Gil ilustra, por meio de adoráveis exemplos, que o impensável está sendo materializado por meio da tecnologia. E ele questiona a obsolescência de tudo, simplesmente tudo!

Passeamos por aprendizados em biotecnologia, avanços na área social, mídia, dados, educação e em todos os campos da sociedade fatalmente afetados pela execução do impensável.

De maneira muito agradável, somos levados a repensar a complexidade da construção do nosso próprio futuro e do encaixe do nosso ser nesse mundo ainda em delineamento.

Gil revela os vieses de uma tecnologia que veio para facilitar a jornada dos humanos, mostrando que os meios são bons se os homens souberem o que fazer com eles. E que o fim é a construção de nós mesmos.

Cada página desse livro nos prepara para forjarmos o futuro, repensando o uso da tecnologia das coisas com a filosofia das pessoas como meio para a construção de um mundo mais igualitário.

Prepare-se para o futuro. Embarque nessa jornada com Pensando o Impensável."

– Guto Grieco

Liderou por 14 anos o Centro de Inovação da ESPM, atualmente responde pela Estratégia de Inovação da Record TV

"O ser humano nasceu para conversar, convergir, viver em grupo, ou simplesmente ficar sentado em volta de uma fogueira trocando percepções. A sociedade individualizada está com os dias contados. O novo símbolo do status quo é a generosidade". Essa frase do professor Gil Giardelli, em seu livro Você é aquilo que você compartilha, *expressa muito bem a sua essência: a generosidade de compar-*

tilhar aquilo que ele sabe, com o objetivo de fazer a transformação do destino de um jovem, e por que não acreditar: mudando assim o mundo para melhor.

O prof. Gil - um Midas da generosidade/compartilhamento -, tem o dom de transformar tudo o que toca em esperança, como um GPS mostrando a rota a ser trilhada, sem medo, em busca de uma sociedade mais humana, justa e menos desigual.

Utopia?! Loucura?!

Ah, o que seria do mundo sem os loucos?

O cantor Chorão nos adverte que só os loucos sabem que "O impossível é só questão de opinião".

Pensar o impensável sem ter medo das críticas pela obtusidade das córneas míopes, que teimam em querer continuar na mediocridade de um mundo fadado a mesmice.

Progressofobia, medo da mudança? Jamais! Avante, afinal, Aristóteles já nos ensinou que vida é movimento. Portanto, mudar é preciso; viver não é preciso. Como bem lembra Victor Hugo: "O futuro tem muitos nomes. Para os fracos, é o inatingível. Para os temerosos, o desconhecido. Para os valentes, a oportunidade".

Meu caro leitor, eis aqui uma bela oportunidade, neste novo livro do Prof. Gil, para passar por diversos caminhos do teletransporte quântico ao Metaverso; do blockchain ao NFT; dos carros voadores à criação de órgãos humanos por impressoras 3D.

E aonde vai nos levar esse caminho? Em direção a nós mesmos, o ser humano: a maior de todas as invenções. Parabéns, fabuloso e imponderável Prof. Gil.

– EDILSON PINTO

Pai de Lucas e Esposo de Viviane.
Prof. titular de Cirurgia da UFRN. Escritor e caçador de si mesmo

"Vivemos tempos intensos. A consumerização da tecnologia iniciada com os computadores pessoais e acelerada pela popularização dos smartphones lançou uma infinidade de confortos, conveniências e possibilidades em uma velocidade jamais vista antes. E ao mesmo tempo criou gerações de pessoas hiper conectadas e ansiosas, imediatistas, impacientes e, em certos aspectos, superficiais no campo das ideias.

Pensando o Impensável resgata a razão de ser da tecnologia – ampliar as capacidades humanas criando as condições para a construção de um mundo igual e feliz onde todos usufruem da tecnologia em sua plenitude.

A compreensão do movimento pendular da aceleração da inovação nos prepara para algo ainda maior – a democratização dos efeitos benéficos que a (r)evolução tecnológica proporciona. Ampliar e aprofundar as relações entre as pessoas, as comunidades, com a natureza e desvendando nossas origens e nosso propósito de existir é o efeito natural resultante desse movimento.

Essa sensação de "excesso" de tudo, de sobrecarga de informação e sofrimento pela dificuldade de acompanhar o dia a dia lançará uma reflexão importante sobre o modelo de sociedade, amadurecendo o conhecimento e enaltecendo o aspecto humano dessa revolução tecnológica.

Convido, pois, a deleitar-se com os pensamentos interpostos sobre a transição de sociedade que estamos vivendo e assim participar ativamente da construção de uma nova jornada de prosperidade, felicidade e desenvolvimento da humanidade."

– Acursio Maia

Há mais de 30 anos humanizando a TI em empresas
como Whirpool, Natura, Tigre e Grupo Petropolis

PREFÁCIO

Sem medo de pensar

Por mais que olhemos pela janela e tenhamos uma série de problemas a serem enfrentados e resolvidos, o mundo que temos hoje é a sua melhor versão comparada a todas que tivemos ao longo de nossa história. E isso se deve aos avanços científicos, tecnológicos e socioeconômicos. Ouvi algo similar a essa introdução e discuti em cima desse pensamento em uma conversa com meu amigo e sociólogo italiano Domenico de Masi, um grande apaixonado pelo Brasil, autor de diversos livros e criador do conceito ócio criativo.

Essa ideia de criar mesmo em momentos que seriam ou são encarados como descanso é fantástica, sobretudo se pensarmos em um mundo que caminha para uma grande automação de processos – sim, acelerada pela pandemia, mas que já vinha em curso – no qual as pessoas cada vez mais terão tempo livre. Quer melhor forma de preencher essa lacuna do que com pensamentos soltos? Esses momentos em que as ideias voam são essenciais para o surgimento de teorias, novas formas de atuar, reformulação de processos ou mesmo embriões de propostas que, num primeiro momento, podem chocar, mas que, em algum espaço de tempo, farão sentido.

E é aí que chego ao livro do amigo Gil Giardelli, professor e estudioso de inovação com forte reputação no país e que, ao longo dos anos, tem sido um provocador inquieto. Um aguçador da criatividade alheia, no sentido de levar duas coisas (pelo menos ao meu julgar): despertar pessoas de todas as idades, perfis e momento de vida e carreira para inovação e levar esperança de um mundo melhor com sua visão tecno-humanista das coisas.

No fundo, quando Giardelli traz um livro-provocação intitulado *Pensando o Impensável*, a sua intenção nada mais é do que chamar todos a pensarem, escreverem suas ideias e não terem medo de compartilhá-las, ainda que elas possam vir a ser rejeitadas num primeiro momento. É um chamado a não ter medo de pensar. Sabe aquele momento em sala de aula no qual o professor questiona os alunos se alguém tem dúvida ou quer compartilhar algo e fica o silêncio constrangedor? Geralmente isso acontece pelo medo de expor ideias, pelo medo de pensar e, obviamente, pelo medo de ser julgado ou tachado como alguém que faz uma pergunta ruim, quando na verdade nenhuma pergunta deve ser rejeitada. Essa cultura de pré-julgar ou de se fechar para não ser julgado precisa ser rompida.

Ao longo da nossa história, queimamos mulheres, pensadores, artistas, que foram pioneiros em seus pensamentos, e que hoje seriam exaltados por suas ideias e pelos resultados que foram colhidos. Quando se trata de ideias, de pensar futuro, de pensar numa melhor versão do mundo, precisamos estar despidos de preconceitos e abertos a discutir as perspectivas, ainda que elas possam resultar em nada naquele momento. Ainda que, em determinados pontos, possa haver discordâncias de visão de mundo. Debater é bom, trata-se de um ato capaz de gerar grandes ideias e soluções.

Há mais ou menos quinze anos, tive a oportunidade de assistir a uma aula em um curso que participava na Fundação Getúlio Vargas, em

São Paulo, quando foi defendido um projeto de renda cidadã, explicando que na ausência de emprego formal para todos isso seria necessário, como estratégia de país. Com a transformação digital acelerada e a pandemia do coronavírus dando um empurrão a mais, esse tipo de discussão ganhou força, não no Brasil, mas em diversos países mundo afora. Por quê? Porque chegou o momento da aplicação desse tipo de ideia. Atualmente, têm-se dados suficientes para saber que não haverá emprego formal para todos nos moldes que conhecemos e que muitas pessoas trabalharão menos horas e, consequentemente, com salários menores. E mecanismos como renda mínima serão necessários para complementar os ganhos no sentido de garantir uma vida digna a essas pessoas.

Espero que esse breve prefácio não te assuste e nem faça você fugir da leitura deste livro produzido com muita dedicação pelo Giardelli. Pode ser que você concorde com algumas ideias que coloquei aqui, pode ser que não. O que te peço, assim, é que já utilize essa introdução como um exercício para o pensar e, mais que isso, para se aventurar pelas próximas páginas e começar a pensar o impensável.

– Vitor Cavalcanti

Jornalista por formação, curioso por natureza e, sempre,
com a esperança de um Brasil melhor

INTRODUÇÃO

Pense o impensável

Nada é mais poderoso
que uma ideia cujo tempo chegou.
– VICTOR HUGO

Nenhuma ideia deve ser jogada fora, pois um dia o tempo dela chegará.

O que foi impensável em algum momento será realidade algum dia. Assim construímos o futuro. Assim construímos o amanhã. Assim mudamos o mundo.

Uma vez, tive um sonho no qual uma pessoa vestida de branco chegava em um barco que flutuava no céu e falava para mim: "Eu vou levar você para um lugar mágico". Em seguida, me conduziu para uma espécie de prédio muito diferente, brilhante, metálico. Quando chegamos, ela soltou o barco, que foi embora pelo ar. Fiquei assustado e perguntei: "Como vamos fazer para voltar?". E ela me respondeu: "Quando compartilhar o que você aprender aqui, você voltará. Mas enquanto aprender e não dividir com ninguém, você não sairá daqui".

Não costumo me lembrar dos meus sonhos, mas desse não me esqueci, e aquele lugar diferente me marcou muito.

Um ano depois, tive a oportunidade de ir para o Instituto de Tecnologia de Massachusetts, o famoso MIT, nos Estados Unidos, e de repente, bem no meio do campus, me deparei com um prédio chamado Ray and Maria Stata Center, ou Stata Center, um complexo acadêmico de quarenta mil metros quadrados desenhado por Frank Gehry, arquiteto vencedor do Prêmio Pritzker. Fiquei absolutamente espantado e muito arrepiado, porque era exatamente o lugar que vi no meu sonho! A construção tem o formato de uma folha de papel amassada, para lembrar a todos os pesquisadores que, no século 21, nenhuma ideia deve ser descartada.

Este livro nasceu exatamente naquele lugar. Naquele edifício, as pessoas estudam e examinam a história e, com ousadia e criatividade, desafiam o *status quo* ao inovar, ao fazer diferente e pensar diferente para serem melhores e mais adaptadas aos novos tempos em que vivemos. Foi lá que comecei um processo de mais de quatro anos de estudos – feitos também na Universidade de Stanford, na Califórnia, Estados Unidos, e no Imperial College, em Londres, no Reino Unido – que me permitiram reunir as informações e as visões que você vai ler nestas páginas, e que trazem ideias que vão além da inovação, pois projetam e extrapolam o futuro, mostrando como devemos nos preparar para ele.

Inovação é uma palavra que está na boca de todo mundo, talvez até um pouco gasta, mas parece que só pouca gente sabe exatamente o que é. Ainda é uma minoria que sabe utilizar esse conceito na prática, aplicando-o em sua vida e em seu trabalho. *Inovação* é a transformação de ideias, utilizando-se da criatividade, para obter novos produtos, novos processos, novas formas de produzir, de manufaturar, de se relacionar e de viver.

Se você pensar bem, já vivemos em um mundo repleto, um pouco mais a cada dia, de novos produtos, processos, modos de produção, consumo, comportamentos e relacionamentos que havia bem pouco nem existiam. Em suma, o jeito que se vive e se interage hoje é totalmente diferente do jeito que se vivia e se interagia vinte, trinta ou cinquenta anos atrás. A tecnologia deu um salto imenso muito rapidamente, e, se você olhar em volta, vai perceber que *aquele* futuro que um dia imaginamos já chegou e está entre nós. Evidentemente, "ele está mal distribuído", como disse o escritor de ficção especulativa William Gibson, mas podemos dizer que esse novo mundo é bem mais emocionante que as ficções que um dia projetamos nos filmes e nos livros.

E, pensando nas mais improváveis ficções, acabamos experimentando na pele uma realidade que só imaginávamos para os livros de distopia, ao vivermos a pandemia planetária do coronavírus, que mudou praticamente da noite para o dia os hábitos de bilhões de seres humanos, matou mais de cinco milhões de pessoas e deixou sua marca na história.

A ciência sempre nos disse que a destruição da natureza aumentava a probabilidade de surtos de doenças, incluindo pandemias, mas preferimos pensar que isso era apenas ficção científica. No entanto, ao nos vermos obrigados a entrar em quarentena, a fazer isolamento social, a andarmos de máscaras e a imaginar que qualquer descuido poderia levar à contaminação e ao adoecimento grave – e até à morte – de pessoas próximas e queridas, precisamos nos adaptar em todos os níveis.

A humanidade teve que desacelerar, e, em poucas semanas, o mundo transformou-se completamente, o que foi um divisor de águas. Tal como uma guerra, que traz destruição e morte, mas também avanços tecnológicos por pura necessidade, a doença carregou consigo também a urgência de estabelecer novas soluções para trabalho, educação, produção, desenvolvimento científico, contatos, relacionamentos e comportamento social, cultural, econômico, financeiro e político, deixando um legado de novos caminhos que, apesar de criados em um cenário triste e angustiante, permanecerão, por serem positivos. E é claro que tivemos que lidar com dilemas éticos e morais que ainda não estão totalmente solucionados, como trocar dados de privacidade por segurança em termos de saúde, para mencionar apenas um deles.

No entanto, novas formas de trabalhar, produzir, aprender, comprar, vender, consumir, se relacionar, se conectar, se informar, entender o mundo e interagir com ele consolidaram-se com a covid-19. Porém, elas já vinham surgindo, só que talvez de um modo até invisível para a grande maioria. A pandemia apenas acelerou seu estabelecimento. Decisões e modificações de todas as naturezas, que talvez levassem anos para serem implantadas em empresas, instituições e até em países, precisaram acontecer muito rapidamente, fazendo a velocidade das mudanças aumentar muito. Foi como um grande laboratório de ensaios em escala real e global, que testou novos modelos muito agilmente, algo que nunca seria feito não fosse a situação de pandemia.

Apesar de tudo – e felizmente! – agora, neste exato segundo, em toda parte, muitas coisas extraordinárias continuam acontecendo em termos de avanços tecnológicos e transformação da vida como a conhecemos. Os resultados e as consequências são bons por um lado e assustadores por outro. Aparentemente, a turbulência é a nova normalidade, podemos começar a nos habituar com isso. Tudo está ocorrendo em uma velocidade estonteante, e é realmente difícil entender, acompanhar e assimilar. Estamos saindo de um tempo em que a economia dependia unicamente da produção e comercialização de objetos, de *commodities* e de infraestrutura, e entrando no limiar de uma economia circular, digital, de baixa emissão de carbono e pós-industrial. É um período em que a educação de alto impacto e o poder intelectual são tão importantes quanto os portos já foram um dia.

Em breve, para calcular o PIB neste século 21, somaremos o acúmulo de capital, a base estabelecida de intelectos e a difusão da inteligência artificial de determinado país.

Já está em xeque o mundo imaginado pelo filósofo iluminista Adam Smith, descrito em 1776 em *A riqueza das nações*, assim como os indicadores econômicos que foram criados ou ganharam força no Acordo de Bretton Woods, de 1944, que determinou as regras para as relações comerciais e financeiras entre os países mais industrializados do mundo.

A criação de fortunas hoje está totalmente subvertida por conceitos como *globotics*, economia de inteligência artificial, capitalismo sem capital, sociedade 5.0, corporações cognitivas e outros, que são precursores de uma transformação nunca vista antes na humanidade.

Novas expressões não são mais sussurradas pelos corredores e labirintos das empresas, mas conversadas em alto e bom som naturalmente: *machine learning*, inovação disruptiva, era cognitiva, era dos *makers*, *hackathon*, cocriação, computação quântica e outras várias tendências exponenciais. São novas palavras e sentidos neste tempo de mudanças complexas, aceleradas, dinâmicas, explosivas e radicais, que nem todos entendem ainda, mas que trazem conceitos inéditos como manufatura molecular, narrativas econômicas, arquitetos da atenção, teoria *nudge*, *Novacene*, *data age*, *mathematical thinking*, humanoides, bitcoin, *crowded orbits*, ciência multidisciplinar, CRISPR-Cas9 e uma série de outras sem tradução ainda para o nosso idioma, que potencializam as novas formas de ver e de agir na sociedade.

Tudo isso faz com que precisemos refletir sobre o que faremos com um mundo todo construído no período pós-Segunda Guerra Mundial, mas que já acabou, não existe mais. Instituições mundiais antes sólidas agora vêm se dissolvendo no ar e têm grandes dificuldades para responder às demandas que os novos tempos trazem.

Aquele mundo VUCA – volátil, incerto, complexo e ambíguo – que os teóricos descreviam como o atual já está ultrapassado. Vivemos em tempos pós-normais, de destruição criativa, como nos ensinou o economista visionário Joseph Alois Schumpeter em 1941: “Se você não reinventar o que você estiver fazendo, alguém fará isso!”. Não é mais uma era de mudanças, mas uma mudança de era.

Os mecanismos de holograma, realidade estendida, telepresença, realidade aumentada e até realidade virtual promovem um novo tipo de trabalho, o fisital, em que a presença física e a virtual não têm mais separação. Muitos puderam experimentar um pouco disso durante a pandemia da covid-19, mas foi só o comecinho do que vem por aí. Mudanças de vínculo de trabalho, *Gig Economy* e Revolução P2P são sinais dessa nova maneira de operar. Cria-se um novo tipo de cidadania global, que alguns chamam de cidadania 2.0, já que os conceitos de fronteira, identidade nacional e imigração estão embaralhados pelas conexões digitais que foram criadas. Na Universidade de Chicago, o debate é sobre corporações cognitivas e líderes preditivos, que antecipam ameaças e criam negócios fluidos. Se antes a dinâmica entre as empresas era "o maior engolindo o menor", agora a chave é agir com mais sabedoria.

O Japão discute a sociedade 5.0 ou sociedade da imaginação, que coloca a criatividade no centro dos processos. Ela é composta pelo Human to Human, o H2H, centralizada no ser humano e em seus três S, *science, society, spirituality*, ou ciência, sociedade e espiritualidade, que utiliza as fronteiras das tecnologias cibernéticas para melhorar saúde, mobilidade, educação, produtividade, desafios sociais, dados abertos, segurança digital e governança mundial de dados. A Quarta Revolução Industrial, que levou para a pauta do dia as tecnologias, está criando novos valores e serviços, um após o outro.

Eu, como um tecno-otimista, quero ver meus sonhos de um futuro justo e melhor para todos se tornarem realidade, nos quais a tecnologia e as inovações possam minimizar as desigualdades e as injustiças tanto no Brasil quanto no mundo, que ficam mais patentes e contrastantes quanto mais difícil é a fase que vivemos, como nos mostrou a crise do coronavírus.

E quanto ao sonho que descrevi no início, sobre o lugar mágico em que se aprende muito, mas do qual não se sai sem compartilhar o que se sabe, espero que este livro consiga cumprir, que seja em parte, a missão de difundir o que aprendi nos últimos tempos, ao dividir com você muitas informações incríveis e impactantes sobre o que podemos fazer com os inúmeros recursos e novidades que já estão por aí e que logo serão corriqueiros para todos.

Que tudo isso possa transformar o mundo em um lugar mágico e brilhante, no qual nenhuma ideia precise ser jogada fora, mas sim considerada e respeitada, pois terá chegado seu tempo. Que o impensável hoje seja o cotidiano feliz do amanhã. E que nenhum ser humano seja excluído, mas incluído em toda a sua diversidade e expressão única, em um mundo em que saibamos conviver com as diferenças, com as manifestações diversas, e que seja tão melhor que todos queiramos morar nele, sem querer ou precisar ir embora.

Boa leitura!

CAPÍTULO 1

O futuro não é como pensávamos

O futuro tem muitos nomes.
Para os fracos, é o inatingível.
Para os temerosos, o desconhecido.
Para os valentes, a oportunidade.

– VICTOR HUGO

Que o mundo mudou para sempre nós já sabíamos. Mas parece que o mundo está mudando para sempre todos os dias, a cada minuto, a cada segundo. Até ontem, pensávamos que tínhamos uma ideia de como seria o futuro, mas ele chegou, e não é bem como imaginávamos. As transformações são muito rápidas, os processos estão acelerados, e a sensação que temos é de que estamos vivendo uma era caótica, com instituições fraturadas e frágeis, conceitos pulverizados e não confiáveis, e pessoas separadas em polos opostos, com opiniões profundamente dissonantes. Nada mais é certo, sólido ou definitivo. Há problemas muito complexos, para os quais não cabem mais as respostas que utilizávamos, e as soluções que davam certo no passado parecem não funcionar mais agora.

Vivemos um momento muito único na história da humanidade, que é também muito assustador. Tudo o que conhecemos está em processo de modificação acelerada. A evolução tecnológica e científica ocorre em uma velocidade nunca antes experimentada, e, apesar de sermos nós próprios os agentes catalisadores dessas mudanças, ainda não tivemos tempo para nos preparar para lidar com elas, o que nos faz enfrentar tempos difíceis e turbulentos. Os modelos que existem já não nos atendem mais e caem cada vez mais rapidamente em desuso e obsolescência.

O economista inglês John Maynard Keynes acertou quando afirmou que em um futuro próximo seria necessário lidar com a incapacidade de nossas habilidades, organizações e instituições acompanharem o ritmo da evolução da sociedade. Alvin Toffler, escritor e futurista norte-americano do século passado, disse que o analfabeto do século 21 não seria aquele que não soubesse ler e escrever, mas o que não soubesse aprender, desaprender e reaprender quase todo dia. O tempo mostra que estavam muito certos.

ONDE ESTÃO OS CARROS VOADORES?

Se pensávamos que já na terceira década do século 21 veríamos comumente por aí carros voadores ou pessoas em roupas metálicas, podemos nos frustrar ao verificar em nosso cotidiano algo muito diferente, em uma mistura de problemas ainda prosaicos com questões que não pensamos que teríamos de enfrentar.

Se sonhávamos que a tecnologia nos ajudaria a realizar tarefas e trabalhos para poupar nosso tempo e energia, para podermos usufruir mais da vida em lazer, ócio e prazeres, acabamos virando escravos de nossos aparelhos, dedicando a eles mais horas do que gostaríamos ou poderíamos, sacrificando momentos de sono, lazer e descanso, e perdendo a noção e os limites entre o que é vida pessoal e profissional, pública e privada, física e jurídica.

O ponto focal é que a tecnologia avançou muito mais que o modo de pensar e de se comportar das pessoas e também das corporações. Na verdade, a tecnologia hoje disponível e os recursos em todas as áreas mudaram tudo – a maneira como nos comunicamos, como nos informamos, como trabalhamos, como nos relacionamos, como produzimos, como consumimos, como nos comportamos e interagimos e até nossa qualidade de vida e saúde física e mental, e tudo isso tem consequências bem complexas, em todas as áreas da vida humana.

Apenas em uma análise rápida, os avanços da medicina e da farmacêutica, por exemplo, prolongaram a expectativa de vida, e isso trouxe imensos impactos não apenas na área da saúde e do bem-estar. Pessoas que vivem mais consomem mais, porém, uma população com mais idosos precisa de um sistema, público ou privado, que dê conta de pagar pela subsistência de quem não necessariamente vai gerar a própria renda ou ser economicamente ativo quando mais velho. Uma vida mais longa também traz consequências para as relações sociais. Os casamentos, por exemplo, que antes eram uma instituição supostamente "para a vida toda", assim funcionavam quando as pessoas viviam quarenta ou cinquenta anos, mas o que dizer de agora, quando as pessoas chegam perto dos noventa ou cem anos? Certamente, ter vários relacionamentos consecutivos ou buscar novos modelos de se relacionar não é algo que deva causar espanto.

Na área profissional ou de negócios, o emprego estável, a carreira sólida, para a vida toda, é algo que não existe mais. Aliás, o modelo da educação, hoje totalmente ultrapassado e obsoleto, não dá conta de acompanhar a produção do conhecimento que existe no globo, e a formação de novos trabalhadores capacitados modificou-se por completo.

Para que nosso modo de pensar esteja em fase com os avanços que obtivemos na área tecnológica, é preciso se deter na visão do mundo e aprofundar a análise dos fatos. Porém, as pessoas querem respostas rápidas, instantâneas, na velocidade de um toque em seu celular ou de um clique em seu computador. Todos parecem buscar coisas fáceis, sem complicação, mas não adianta querer discutir física quântica apenas lendo a orelha dos livros, ou informar-se de um assunto batendo os olhos nas chamadas dos artigos – ou informar-se por mensagens compartilhadas em redes sociais. É preciso transformar o comportamento para nos adaptar, e, se não formos a fundo, será complicado acompanhar.

Infelizmente, a maior parte das pessoas, no entanto, sofre de certa curiosidade, querendo saber de tudo, mas sem precisar "encher a cabeça". Só que isso não prepara para o momento como o que estamos vivendo. Sofremos da síndrome do FOMO – *Fear of Missing Out*, ou medo de perder informações e acontecimentos –, mas ao mesmo tempo não nos aprofundamos como deveríamos, e isso provoca superficialidade, mau entendimento de muita coisa, desinformação e conflitos.

OS TEMPOS PÓS-NORMAIS

Toda a turbulência dos dias de hoje faz muita gente dizer que estamos vivenciando uma distopia. Alguns dizem que é o resultado da pós-modernidade, ou da modernidade líquida, descrita pelo sociólogo e filósofo polonês Zygmunt Bauman, que postula que "Vivemos em tempos líquidos, em que nada foi feito para durar" e que "As relações escorrem pelos vãos dos dedos".

Outros acham que a instabilidade sentida é efeito do mundo VUCA, acrônimo em inglês para os termos volatilidade (*volatility*), incerteza (*uncertainty*), complexidade (*complexity*) e ambiguidade (*ambiguity*), que foi cunhado pelo Exército norte-americano na década de 1960 para definir o ambiente criado pelas tensões que existem no período de guerra. Na década de 1990, a expressão passou a ser utilizada também para contextualizar os momentos de intensas transformações e disrupções que influenciavam o mundo em todos os seus aspectos, e não apenas na esfera militar, quando tudo estava incerto, complexo, volátil e ambíguo.

Na minha visão, no entanto, esse mundo VUCA acelerou tanto que já acabou, já passou, e essa nomenclatura ficou para trás, juntamente com tudo aquilo que abarcava. Mas, como já disse, acho, como um tecno-otimista, que está na hora de olharmos além, tanto do pessimismo do genial Bauman quanto do paradigma VUCA. Apesar de o filósofo polonês ter descrito muito bem o que veio acontecendo até então, e de dar a impressão de que ainda estamos em um mundo de incerteza, complexidade, volatilidade e ambiguidade, essas ideias já não bastam para descrever o que está vindo, pois a realidade já é outra, e estamos em uma época com muito mais contradições, complicações e certo caos pós-industrial.

Os modelos preestabelecidos já não respondem mais às necessidades que temos; o entendimento do que é considerado moderno é algo que se transformou há tempos e na verdade já acabou. Nesses tempos pós-industriais, em que temos convicção de que experimentamos uma mudança permanente e de que a incerteza é a nossa única certeza, vejo que não estamos nem em uma distopia nem em uma utopia, mas vivendo em *tempos pós-normais*, um período feito de tradição e contradição, abismo e caos.

"Tempos pós-normais" é um termo desenvolvido por Ziauddin Sardar, intelectual e futurologista britânico-paquistanês, que o descreve como "um período intermediário, em que velhas ortodoxias estão morrendo, em que novas ainda precisam nascer, e bem pouca coisa parece fazer sentido". Sim, a nossa vida está assim porque não deu tempo ainda de entendermos a nova ordem das coisas. É um efeito da alta velocidade em que estamos andando.

Nessa aceleração, tudo acontece instantaneamente, aqui e agora, e é obtido com inúmeras ferramentas tecnológicas, o que faz as coisas estarem ao alcance do toque dos nossos dedos. Porém, gera um "efeito colateral" complicado: desaprendemos a esperar pelos acontecimentos e a pensar no longo prazo. Nosso foco é no *já*, na satisfação instantânea, na recompensa imediata, que faz surgir a sociedade imediatista, a qual se transforma constantemente, e já não conseguimos traduzir nossos desejos em um projeto de longa duração, com aquele usual trabalho duro e intenso para se alcançar um objetivo que precisa ser construído aos poucos, e pelo qual precisamos esperar pacientemente e com resiliência diante dos reveses que fatalmente surgirão. Assim, os grandes ideais da nova sociedade vão se perdendo, e a força do coletivo não é mais voltada para o alcance de uma meta comum a muitos, perseguida com persistência. O que está "pronto" parece ser a solução ideal e mais adequada e conveniente.

A sociedade não está fazendo projetos de longo prazo, e isso acontece principalmente nos países latinos. Os que pensaram com uma visão de longo alcance, como a China há alguns anos, começam a colher seus frutos, pois viram lá atrás que essa é a única solução para os problemas estruturais, já que perceberam que fazer isso é inevitável caso se queira de fato o desenvolvimento real. É como a chuva que se anuncia quando as nuvens começam a se juntar. Se a tempestade ainda não alcançou você, é apenas questão de tempo, pois já há sinais ao longe de que ela vai chegar, você queira ou não, você goste ou não.

Em tempos acelerados, em que se olha apenas o presente, o aqui e agora, as mudanças são como um grande fantasma que causa medo, mas ao mesmo tempo provoca uma inércia, pois é muito complicado e custoso modificar(-se). Mas é absolutamente necessário pensarmos a partir de certos pilares, como a gestão da complexidade.

Em tempos pós-normais, a alta complexidade dos ambientes tem sido um grande desafio para todas as áreas da humanidade. Se antes havia uma ou duas variáveis em um cenário a ser analisado, hoje praticamente tudo pode ser considerado uma variável, e com muito mais volatilidade e aceleração, fazendo com que a velocidade das mudanças seja sem precedentes. A consequência é que aqueles que não prestarem atenção ao que de fato está acontecendo tendem a ficar para trás. E digo isso não apenas em relação a uma área, como política ou economia, mas a todas as dimensões, inclusive a vida pessoal de cada um.

Precisamos olhar para os acontecimentos com o intuito de entender não apenas como os sistemas existentes devem se adaptar aos novos formatos, mas também como podemos melhorar como sociedade diante de toda essa transformação. Devemos ter uma visão de futuro, e, mais que isso, uma *gestão de futuro*, em que a adaptação é necessária, mas fazer isso não para obedecer ao desenvolvimento tecnológico apenas, e sim com o objetivo de melhorar a vida no coletivo. É preciso, entretanto, ter cuidado, porque a tecnologia deve vir para fazer com que a vida seja melhor, otimizando os processos que hoje não atendem à realidade, e não para nos deixar escravos das coisas que criamos, nem reféns ou vítimas delas.

Mudanças como a que vivemos nesses tempos pós-normais trazem rupturas e caos, como já estamos sentindo. Claus Otto Scharmer, professor sênior do Sloan School of Management, do MIT, desde os anos 1980, diz que estamos passando por uma época de quebra ecológica, com mudanças climáticas, de ruptura social, com extremismos, e de ruptura espiritual, com a sensação de aceleração do tempo. De acordo com ele, o que precisamos é transformar a maneira como vivemos, que é insustentável, não apenas levando em consideração o sentido ecológico no qual a palavra é aplicada, mas também fazendo menos mal para o nosso ecossistema, seja pessoal, ambiental, profissional ou qualquer outro, ao operar em qualquer frente. E isso deve ser obtido transformando nossa maneira de fazer negócios em uma força de criação de bem-estar coletivo, promovendo assim um ambiente que nos eleve e evite um constante desgaste para o ser humano.

O professor ainda chama a atenção para o fato de que o descompasso que criamos na nossa vida pessoal, profissional e espiritual traz consequências em níveis globais. Essa visão nos leva ao cerne da principal modificação que já sentimos, com a substituição do ser humano por máquinas e robôs em incontáveis atividades. Klaus Schwab, autor do livro *A Quarta Revolução Industrial*, diz o seguinte:

> Estamos a bordo de uma revolução tecnológica que transformará fundamentalmente a forma como vivemos, trabalhamos e nos relacionamos. Em sua escala, alcance e complexidade, a transformação será diferente de qualquer coisa que o ser humano tenha experimentado antes.

A QUARTA REVOLUÇÃO INDUSTRIAL

Klaus Martin Schwab é um engenheiro e economista alemão que em 1971 fundou o European Symposium of Management, organizado em Davos, na Suíça, e que se tornou, em 1987, o Fórum Econômico Mundial. Ele é autor do livro e um dos principais entusiastas da chamada Quarta Revolução Industrial, que, segundo ele, "Não é definida por um conjunto de tecnologias emergentes em si mesmas, mas a transição em direção a novos sistemas que foram construídos sobre a infraestrutura da revolução digital anterior". Essa denominação vem, na verdade, de um projeto de estratégia de alta tecnologia do governo alemão, que desde a última década trabalha para levar sua produção a uma total independência da ação direta do ser humano.

Também chamada de Revolução 4.0, ela acontece depois de três processos de fato revolucionários em termos de produção. A Primeira Revolução Industrial foi marcada pela passagem da produção manual para a mecanizada, no período entre 1760 e 1830, mas com os seres humanos operando as máquinas. A Segunda, que ocorreu por volta de 1850, veio com a eletricidade e possibilitou que a produção passasse a ser em massa e em volumes muito maiores que antes. A Terceira aconteceu na metade do século 20, com a eletrônica, a tecnologia da informação e as telecomunicações. A Quarta Revolução Industrial é marcada pela automatização total das fábricas e pela substituição do trabalho repetitivo humano pelo trabalho das máquinas, operado por inteligência artificial.

Já estamos vivenciando um período em que deixamos cada vez mais de ver seres humanos interagindo com seres humanos e passamos a ver pessoas interagindo com inteligências artificiais. E isso gera uma série de discussões e algumas consequências que ainda não podem ser mensuradas.

Agora, as máquinas passam a ser componentes fundamentais nos regimes de produção, mas deixam de ser apenas o meio por intermédio do qual realizamos algo, passando a ser uma parte ativa da fabricação de bens e fornecimento de serviços, muitas vezes até criando de forma independente, como já vimos ser possível com algumas inteligências sintéticas. Portanto, a eficiência da inovação, a transformação digital e a economia da inteligência artificial passam a ser o tripé para as indústrias se manterem no mercado.

O termo "inteligência artificial", aliás, foi cunhado por John McCarthy, professor da Universidade de Stanford, em 1955, no livro *Smart Machine* (Máquina inteligente, em tradução livre). Marvin Minsky, professor do MIT, produziu uma longa série de avanços nesse campo desde a década de 1950. E de lá para cá, a evolução desse campo foi exponencial.

A Alemanha sempre esteve à frente ao desenvolver formas de automatizar e robotizar sua economia. Anunciou no fim de 2018 o fechamento de sua última mina de carvão, abandonando uma de suas alavancas econômicas do pós-guerra, a mineração, e jogando-se por completo na Quarta Revolução Industrial.

Entretanto, quem pensa que é hora de investir apenas em robôs automatizados e tecnologia está enganado. Agora, mais que nunca, a análise de dados passa a ser indispensável nos processos de manufatura, e é a hora e a vez da revolução das pessoas nesse cenário.

Até a Terceira Revolução Industrial, você precisava de gente para apertar parafusos, mas na Quarta Revolução você precisa de pessoas que entendam dos números e das informações que as máquinas estão gerando. Agora, não importa se você é jornalista ou médico, vai precisar ser um datajornalista ou um datamédico. É preciso entender os dados que as máquinas e os computadores podem nos proporcionar, porque é assim que agora vamos gerar valor para a economia e para a sociedade. A relevância e o protagonismo da economia da IA são incontestáveis, e hoje ela é um dos principais fatores de decisão presentes na mesa de CEOs, diretores, entre outros. Mas a coleta e análise de dados não significam nada caso não haja *expertise* para agir em cima deles.

Em 2013, os economistas canadenses Paul Beaudry, David A. Green e Benjamin M. Sand publicaram um trabalho acadêmico intitulado *The Great Reversal in the Demand for Skill and Cognitive Tasks* (A grande reversão na demanda por competências e tarefas cognitivas, em tradução livre), mostrando que faz algum tempo que a transformação do mercado chama a atenção dos estudiosos. Mas se o mundo progride na tentativa e erro, como o terapeuta de hoje pode buscar ser o terapeuta digital de amanhã? O maior desafio é adaptar-se aos novos tempos, já que, em meio a toda a transformação que está acontecendo, a tendência é que grande parte dos profissionais fique no que chamamos de inércia pessoal. A pessoa fica perdida e pensa: "Está acontecendo tanta coisa que não estou tendo tempo de entender", e paralisa ou tenta defender seu emprego ou posição convencional, buscando de certa forma deixar tudo como está, na esperança de que o modelo que a fez se sentir segura até então seja mantido nos próximos tempos. Ou na esperança de que as coisas até "voltem para trás".

A TERCEIRA REVOLUÇÃO DIGITAL

Se estamos falando de revoluções, é importante mencionar também a digital. Estudiosos do assunto dizem que estamos na terceira onda. A Primeira Revolução Digital foi quando o computador pessoal foi parar na mesa das pessoas. A Segunda foi colocar o smartphone nas mãos de todos. E a Terceira Revolução Digital, a atual, é a nova onda da inteligência artificial, das novas percepções, e de entender que a tecnologia é muito mais que apenas mandar mensagens e se conectar com os outros.

As duas primeiras revoluções digitais transformaram a sociedade, mas na terceira começa a tendência de transformar objetos em dados. Ela começou com a aceleração dos recursos de fabricação digital, que hoje permitem que comunidades locais sejam autossuficientes e que a sustentabilidade global seja alcançada. Infelizmente, também pode reforçar a desigualdade, ao criar novas divisões, como castas digitais, dividindo quem tem acesso à tecnologia de quem não tem. Por isso, é preciso moldar proativamente nossa sociedade para que a fabricação digital beneficie todos, em vez de apenas poucos afortunados.

As duas primeiras revoluções digitais nos pegaram de surpresa, mas, como agora estamos inseridos em um momento visível de transformação, poderemos fazer melhor desta vez. Precisamos entender que as revoluções não são pontuais, e que não estão apenas conectadas, mas são contínuas, como uma corrente, marcadas por pontos de grande importância, que trazem mudanças significantes.

A primeira e a segunda revoluções foram importantes pontos de mudança no funcionamento do mundo. Em um artigo publicado em 1965, Gordon Moore apresentou uma análise que previa como seria dez anos depois de a computação digital dobrar seu desempenho, e projetava o que aconteceria se essa curva de melhoria se mantivesse. Com isso, e a partir da observação das tendências e fazendo projeções de cenário, ele previu coisas como os telefones celulares e os carros inteligentes.

A revolução, apesar de ser passível de análise e previsão, demora a chegar às pessoas. A maioria mal a vê, exceto por meio de reportagens da imprensa sobre impressão 3D, que é apenas um dos pilares da revolução digital. Alan Gershenfeld, professor norte-americano e diretor do Centro de Bits e Átomos do MIT, fala em seu livro que "A Terceira Revolução Digital, muito parecida com as duas primeiras, está em grande parte passando despercebida ou não totalmente compreendida". E como o inventor e futurista Ray Kurzweil aponta no livro *A singularidade está próxima: Quando os humanos transcendem a biologia:* "O crescimento exponencial é enganoso. Começa quase imperceptivelmente e depois explode com uma fúria inesperada, se não se cuidar de seguir sua trajetória".

A Terceira Revolução Digital é, então, um complemento que segue as duas primeiras, que possibilitaram a capacidade de programação do mundo virtual de *bits* para o mundo dos átomos; mas as implicações da Terceira Revolução Digital devem ser ainda maiores do que as de suas antecessoras. Assim como os processos de comunicação e a computação saíram do analógico para o digital, a digitalização da fabricação permitirá que a produção e o compartilhamento de produtos ocorram de forma totalmente diferente da que vemos hoje.

A semelhança entre as revoluções é imensa. Hoje o processo de fabricação, por exemplo, que está sofrendo grande influência da evolução tecnológica, é feito em grandes empresas com grandes máquinas manipuladas por operadores altamente qualificados. Com o aumento do acesso à tecnologia, e assim como aconteceu com o celular que hoje você carrega no bolso, podemos pensar em um futuro próximo no qual qualquer pessoa poderá transformar dados em coisas e vice-versa.

Como nos estágios iniciais das duas primeiras revoluções digitais, essa visão parece muito distante da realidade; no entanto, na era da economia compartilhada, já existem inúmeros laboratórios comunitários, nos quais as pessoas têm acesso a ferramentas poderosas para fabricação digital.

Toda nova tecnologia tem atributos inerentes, que influenciam as capacidades e os comportamentos dos indivíduos. Um pequeno exemplo disso é a possibilidade que existe agora de duplicar, manipular e propagar conteúdo. Essa capacidade, inerente à própria natureza da tecnologia, tornou-se fundamental para a transformação de praticamente todos os setores da economia.

PROGRESSOFOBIA, O MEDO DA MUDANÇA

Em decorrência de tudo o que está acontecendo, ouvimos muito falar de um futuro ruim, e não um futuro positivo, e o fato é que há muitas pessoas com medo do futuro! E por que isso acontece?

Se as soluções predefinidas não respondem mais aos nossos anseios, é porque seu tempo já passou. Se olharmos para o futuro com o viés da prosperidade, veremos que os resultados só dependem da transformação da nossa visão atual, que precisa sair do campo pessoal e passar para uma perspectiva mais abrangente, que abandone toda a destruição que passou a reverberar em todas as faces do desenvolvimento da sociedade.

O medo do novo e a dificuldade de se adaptar e sobreviver a ele estão alimentando a onda conservadora a que estamos assistindo e que vem tomando de assalto várias áreas da sociedade, em todos os cantos do mundo. Por isso estamos testemunhando um "pêndulo" na sociedade, com ideias que oscilam entre avanço e retrocesso, inovação e conservadorismo, evolução e tradição.

Observamos principalmente as pessoas que têm receio de precisar mudar, sentindo-se perdidas ou paralisadas, tornarem-se de repente tradicionalistas, querendo voltar ao passado, em um tempo em que as coisas funcionavam de um modo mais conhecido. Esse sentimento de muitos de que "no passado as coisas davam mais certo", e por isso "precisamos retornar a ele", claro, é ilusório. A sensação de que antes as coisas funcionavam e que as respostas que tínhamos no passado resolviam as perguntas que se apresentavam se dá não porque as soluções de antes eram melhores, mas sim porque os problemas não eram tão complexos.

É natural entender que, diante de um cenário difícil e amedrontador, muita gente queira voltar para trás, quando tudo era mais simples, mas provoca um paradoxo: a sociedade que procura evoluir ao mesmo tempo agarra-se a conceitos que impedem seu desenvolvimento, e isso desencadeia a contraditória onda de conservadorismo, que toma de assalto a sociedade justamente no momento de maior avanço que já experimentamos. Se de um lado há ideias e pessoas progressistas, de outro há pensamentos e movimentos profundamente conservadores e até regressistas.

É interessante lembrar que, no Reino Unido, entre 1865 e 1896, predominou uma lei que dizia que, se você tivesse um carro, seria obrigado a ter três funcionários: um maquinista, um foguista e um homem que literalmente andava na frente do carro, dois metros à frente, acenando com uma bandeira vermelha para sinalizar para os pedestres, para as charretes e para as carruagens que estava chegando um "monstro de ferro". Essa foi a famosa Lei da Locomotiva. Quem lutou para que essa lei fosse promulgada foram justamente as empresas das locomotivas. Toda vez que vem algo novo, quem está estabelecido tenta impedir que a novidade permaneça, e isso é reproduzido até hoje. Há como que um esforço para que as novidades não cheguem, ou que elas sejam malvistas, para não atrapalhar o que já está estabelecido.

Porém, a verdade é que o mundo não volta atrás. Quando falamos que o mundo muda radicalmente todo dia, não é mais uma força de expressão ou uma frase vazia. Se antes ele mudava radicalmente a cada século e depois a cada década, a transformação agora é diária, e isso causa um medo que tem até nome: progressofobia.

Por medo de que o mundo se torne um lugar desconhecido, em que nada mais pode ser entendido, há quem lute ou clame pela volta de uma situação que existia no passado e combata tudo o que é novo. Assim se forma um conflito entre as novas soluções e a tradição velada, e essa é uma das razões que nos fazem enfrentar tempos difíceis, de embate de ideias radicais e até bizarras que parecem nos levar a becos sem saída.

A progressofobia é um fenômeno pernicioso, acentuado nos dias de hoje, que faz as pessoas não confiarem, por exemplo, na ciência, afirmando que a Terra é plana, ou questionarem a educação tradicional, a produção acadêmica, a imprensa séria, a cultura, a arte e até quererem adulterar fatos históricos. Parece que regredimos ao obscurantismo, com gente querendo fazer prevalecer sua versão enviesada dos acontecimentos, espalhando nas redes sociais notícias falsas, repetindo mentiras e confundindo cabeças, para que já não se saiba mais o que é verdade e o que não é. Isso dá forças para efeitos nocivos como o populismo político, os extremismos, as polarizações de pensamento e o neofascismo, em pleno século 21.

Essa leitura de mundo nos revela dois polos interessantes que ser formam: os otimistas com a tecnologia, que veem nas mudanças uma porta para um mundo mais próspero e com oportunidades diferentes e melhores, trazidas pela inovação; e os que estão assustados com o poder das novas possibilidades tecnológicas e não entendem como podemos usar todo esse conhecimento, os chamados tecnopessimistas.

Saber discernir como as inovações afetarão nosso cotidiano não é algo tão simples como parece, e demanda que façamos avaliações constantes tanto do que já foi quanto do que é agora, já que nossas necessidades se transformam a partir do confronto entre aquilo que já não serve mais e do que é novo e vem suprir melhor as exigências do mundo atual.

O fato de que não olhamos para o mundo com uma visão integral, holística, reforça os atuais desníveis que verificamos ao analisarmos os pilares do desenvolvimento da vida humana. O colapso dos sistemas que hoje ainda regem nossa lógica é fruto exatamente desse descompasso, e o fim dessas estruturas nada mais é que um sintoma desse olhar direcionado, que por muito tempo se preocupou em trazer soluções aplicáveis única e exclusivamente à esfera que apresentava um problema, sem considerar que ela compõe um todo.

Vivemos uma nova revolução, são novas palavras e sentidos, tempos de mudanças complexas, aceleradas, dinâmicas, explosivas, radicais, com uma nova realidade real e virtual, mas com uma perspectiva global e integral. Ainda queremos saber mais do que conseguimos entender e explicar.

O tempo, no entanto, felizmente corre em mão única, em direção ao futuro, e, mesmo que queiramos nos apegar a "um tempo bom, em que as coisas não eram tão complicadas", não há como escapar do que virá. O melhor a fazer, portanto, é buscar entender o que está vindo e se preparar para isso. A implacável máxima darwinista permanece valendo: quem não se adaptar fatalmente desaparecerá.

CAPÍTULO 2

Nada será novamente do modo como já foi

As ideias é o que se deve derramar,
em vez de sangue, para fecundar o campo
em que germina o futuro dos povos.

– Victor Hugo

"Em uma época de inovação, tudo o que não é novo é pernicioso." Essa poderia ser uma frase dita sobre os dias de hoje, mas surpreendentemente é o "mantra" repetido nos idos de 1780 em meio às barricadas da Revolução Francesa, na conturbada Paris do final do século 18. Essa "coincidência" de discurso acontece pela similaridade de cenário porque, de tempos em tempos, as sociedades enfrentam períodos críticos, que exigem transformações radicais, quando a situação se mostra insustentável. Surgem panoramas disruptivos e uma grande necessidade de se abandonar as tradições, as fórmulas e os modelos que normalmente funcionavam, mas que já não são mais eficazes para a nova configuração que se apresenta.

Naquela época, na França, em que aconteceram modificações profundas na sociedade, havia pessoas detectando que as soluções políticas, econômicas e sociais existentes não estavam mais de acordo com o desenvolvimento desejado, e esse descompasso disparou o desejo de mudança e a revolução que a desencadeou. Aquele momento decisivo de incongruências e o período de instabilidade pelo qual o mundo passou resultaram em inúmeras e profundas transformações, que modificaram para sempre o modo como entendíamos e vivíamos em sociedade.

De fato, estamos de novo em um momento crucial, em que tudo o que sabemos e construímos como civilização até hoje está precisando ser repensado e rediscutido diante do novo que se apresenta. Precisamos mais uma vez de regras diferentes e de novos processos para esse mundo renovado em que já vivemos, já que tudo o que criamos ao longo do processo civilizatório e que garantiu os caminhos para solucionar os problemas que enfrentamos até hoje, especialmente os estabelecidos depois da Segunda Guerra Mundial, está na berlinda. Instituições, acordos, organizações, métodos, sistemas e modelos, além de ideias e modos de produção e consumo que já nos parecem arcaicos, precisam ser questionados, pois não servem mais, como uma roupa que ficou pequena demais para a criança que cresceu e se desenvolveu. Mesmo pilares da sociedade considerados até então sólidos necessitam ser repensados e transformados, a fim de oferecer soluções que contemplem as questões da contemporaneidade.

Organizações por trás de siglas como OMS, ONU, OTAN, FMI e PIB, instituições como Banco Mundial, Plano Marshall e Acordo da Basileia, e até ideias e metas de vida típicas do Ocidente, como emprego fixo, carteira assinada, casamento para a vida toda, carro do ano e o sonho da casa própria, por exemplo, tudo isso já não faz mais sentido diante das novas relações que existem. Estamos usando ferramentas de análise econômica velhas para fenômenos completamente novos e propostas que não conseguem mais responder aos desejos e anseios da humanidade.

A desigualdade de renda, por exemplo, nos mostra a necessidade urgente de um novo modelo de mensuração do crescimento econômico que não seja centrado unicamente na medida do Produto Interno Bruto, o PIB. O cálculo do PIB é uma invenção de 1937, e foi criado com o intuito de medir a produção econômica de um país. Mas a intenção nunca foi utilizá-lo como um indicador da saúde econômica das nações. Será, então, que esse ainda é um indicativo eficaz, diante da globalização, do desenvolvimento tecnológico e das novas forças que modificam a análise tradicional que se baseia na variação desse índice?

Em 2019, a revista *The Economist* trouxe uma capa com o seguinte questionamento: "Por que mesmo precisamos de uma Organização Mundial do Comércio?". Essa pergunta vale não apenas para o comércio, mas também para as outras áreas. Se antes a economia dependia de parafusos, máquinas, aço e tratores, trigo e óleo de baleia, agora ela pede cérebros que respondam ao século 21.

Segundo o historiador inglês Eric Hobsbawm, autor de *A era dos extremos*, nos prendemos aos modelos estabelecidos no pós-guerra com o intuito de manter a segurança que essas soluções nos trouxeram. Entretanto, as transformações em vários setores exigem que essas áreas se adaptem para que não haja estagnação. É preciso reavaliar o contexto para definir o que já não faz sentido e saber abandonar estratégias que se tornaram obsoletas. Adaptarmo-nos a essa nova realidade exige não apenas ter mente aberta, mas também encarar essas mudanças como cruciais e parte ativa do nosso futuro. É assustador, mas necessário.

As empresas e pessoas que querem estar em compasso com o espírito do tempo precisam se familiarizar com o mundo dos dados digitais, pois são eles a essência de toda informação. No passado, ter um negócio de sucesso era relativamente simples, e conquistar e se manter no mercado não era um processo sujeito a tantas variáveis que hoje estão à disposição.

As fórmulas tradicionais não funcionam mais, e as empresas que antes eram sólidas precisam se esforçar para descobrir as novas aspirações dos clientes e acompanhar as transformações do mercado. Jorge Paulo Lemann, economista e empresário suíço-brasileiro absolutamente bem-sucedido, um dos três homens mais ricos do Brasil segundo a revista *Forbes* e fundador e sócio do Grupo 3G, que controla empresas como Anheuser-Busch, Kraft Heinz e Burger King, assustou-se recentemente ao participar do painel "Estratégia e Liderança em uma Era de Disrupção", na conferência anual do Instituto Milken, em Los Angeles. Saiu de lá abismado e afirmou: "Eu sou um dinossauro apavorado…". E completou: "Assisti a um painel sobre alimentos e eles só falaram sobre novos produtos e novas formas de produzir. Depois, fui a outro painel sobre inteligência artificial em que todo mundo falava muito sobre análise de dados". O susto de alguém que vive em um ambiente seguro e que já teve êxito nele, mas precisa encarar muitas transformações, é grande, porém, é necessário ter tato para entender as novas propostas e anseios do mercado. Caso contrário, não há chances mesmo de sobreviver.

Hobsbawm diz que as palavras falam mais alto que os documentos, pois uma era fica marcada pelos vocábulos que se usa e como eles assumem seu papel de testemunha. Ele diz que as palavras passam a ser ressignificadas a partir de determinados momentos, ganhando conotações que antes não tinham. Com o vocabulário, torna-se possível definir toda uma época, como se toda contextualização pudesse ser feita a partir do estudo dos significados modernos das expressões utilizadas.

Observando dessa maneira, é curioso notar que a maior parte do vocabulário que utilizamos no ambiente de trabalho foi criada ou ganhou muita força entre o período da Revolução Francesa e o da Revolução Industrial, o que revela a discrepância entre o que temos como costume e tradição e o patamar tecnológico que atingimos. Por isso, está na hora de acrescentarmos ao nosso jargão e ao dia a dia novas palavras, com significados que nos permitam redefinir não apenas as novas estruturas sociais, mas também a forma como a sociedade produz e com o que ela se importa, com expressões que fundamentem as atuais crenças e necessidades, baseadas no contexto vigente.

Dessa maneira, termos como tempos pós-normais, Quarta Revolução Industrial, futurismo, inovação radical, transformação digital, revolução cognitiva, *design your life*, futuro do talento, liderança criativa, tempos exponenciais, gestão do futuro e da inovação, *mathematical thinking*, *machine learning*, M2M, startups unicórnio, *IoT*, *big data*, *deep learning*, *moocs*, singularidade, superinteligência humana, *data analytics*, *cloud robotics*, economia circular, economia compartilhada e *cyberpunk* são pequenos exemplos de vocábulos que vêm para redefinir o panorama do que está se delineando e que nos leva a analisar como devemos repensar tudo o que está ocorrendo.

ROBÔS E INTELIGÊNCIA ARTIFICIAL INVADEM O MUNDO

A inteligência artificial, ou IA, ou seja, os computadores que têm capacidade de interpretar informações externas e "aprender" com elas, para expandir sua base de dados e executar melhor tarefas futuras, já está substituindo seres humanos em seus trabalhos e empregos. A IA, que pode estar em robôs, em computadores de *hardware* convencional, em sistemas complexos ou em simples aplicativos de celular, traz a promessa de grande salto tecnológico, mas também a ameaça de desemprego massivo. De qualquer maneira, a inteligência artificial afeta e afetará cada vez mais a economia, com a necessidade de reformulação em todo o sistema atual, trazendo efeitos "colaterais" para áreas que nem imaginávamos.

A nova dinâmica econômica provoca uma série de disrupções nos processos existentes, desde a inserção de robôs humanoides para uso doméstico e profissional até a utilização de plataformas de interação, da internet das coisas e do uso do *blockchain* e de criptomoedas no cotidiano, e que transformam a vivência e as relações pessoais, profissionais e até políticas. Novas possibilidades surgem a partir da inclusão dessa tecnologia no dia a dia, permitindo que se explore a individualização e a personalização de qualquer experiência.

Um exemplo disso aconteceu com um grupo de vizinhos do Brooklyn, em Nova York, nos Estados Unidos. Eles compraram em conjunto placas de captação solar que custavam mil dólares (hoje custam quinze dólares). Aí começaram a produzir sua energia e a vender o excedente para vizinhos de outros bairros, de outras cidades e até de outros países. Só que começaram a ter problemas de tributação e então criaram uma moeda chamada SolarCoin, para poderem interagir. Porém, os produtores e distribuidores de energia dos Estados Unidos entraram com um processo contra esse grupo, e isso chegou à Suprema Corte, que disse que, se o capitalismo significa alguma coisa, ele deveria permitir que fosse possível produzir e vender a sua própria energia. E se eles criaram a SolarCoin, o problema estava no Legislativo, e não na SolarCoin ou no capitalismo.

Também já estamos em um momento em que há o capitalismo sem capital, com a valorização do intangível. Os britânicos Jonathan Haskel e Stian Westlake, no livro *Capitalism without Capital: The Rise of the Intangible Economy* (Capitalismo sem capital: a ascensão da economia intangível, em tradução livre), perceberam que os bens tangíveis, como máquinas, equipamentos, sementes e construções, começam a perder espaço para coisas intangíveis, como inteligência artificial, inovação radical e não incremental, design biológico, automação, digitalização de processos produtivos, desenvolvimento científico, patentes, ecossistemas e interface de inovação entre empresas, entre outras. Isso muda todo o ecossistema da produção de riqueza e a valorização de produção e consumo, mexendo profundamente com a economia e com o trabalho.

A economia da inteligência artificial também leva para a berlinda o conceito de Estado-nação. As criptomoedas furam barreiras geográficas e geopolíticas de países e governos, que até pouco tempo atrás tinham duas certezas sobre sua função – a emissão de dinheiro e as forças armadas –, mas que agora precisam também enfrentar o desafio de criar processos que contemplem essa nova realidade. Quando visitei o Bitcoin Center, em Nova York, fiquei impressionado com o que está acontecendo ali. Já existem mais de três mil criptomoedas digitais, e elas estão desafiando o *status quo*. O problema é que as três mil criptomoedas não se conversam, ou seja, não há correspondência de valor entre elas. Quem está por trás do bitcoin são os herdeiros das famílias que ficaram bilionárias com as revoluções industriais anteriores, como Dupont e Ford, por exemplo, que falam que, para o mundo ser realmente globalizado, é preciso haver um lugar que tenha menos impostos, e que eles sejam bem recebidos.

Outra questão com as criptomoedas, principalmente com o bitcoin, é o Flash Cash, ou seja, o dinheiro instantâneo. Em questão de segundos, por exemplo, as ações da Procter & Gamble oscilaram de 0,01 centavo a 100 mil dólares. Teve quem ficasse bilionário com isso em questão de minutos, mas foi um *bug* no sistema antigo. Só que a regra é clara: se você ganhou, ganhou. E aí começou-se a controlar, só que agora os produtores de banana têm o Banana Coin, a Kodak tem o Kodak Coin, e assim por diante.

Em relação às Forças Armadas, que citei, já sabemos que as questões de segurança das nações e a guerra são agora cibernéticas, muito mais que físicas.

Quando as principais economias desenvolvidas do globo começaram, no início deste século, a investir mais em ativos intangíveis que em tangíveis, teve início uma revolução silenciosa, que neste momento colhe frutos. Por isso, hoje, para todos os tipos de empresas, a capacidade de implantar ativos que não podem ser vistos nem tocados é cada vez mais a principal fonte de sucesso no longo prazo. Por outro lado, o capitalismo sem capital demonstra que a crescente importância dos ativos intangíveis também desempenhou um papel fundamental em algumas das grandes mudanças econômicas dos últimos tempos, mas é hoje uma das causas de fenômenos como desigualdade econômica ou estagnação da produtividade.

O FIM DA CIDADANIA E DAS FRONTEIRAS

Com um capitalismo sem capital, com moedas que não necessitam de países para serem emitidas, com a valorização do intangível e com as novas definições de mundo que as interações on-line propiciam, permitindo que alguém de um lado do planeta trabalhe para outra pessoa ou empresa de outro lado do globo, podemos assegurar que nas próximas décadas os conceitos de cidadania e de fronteira como conhecemos hoje não terão mais sentido. Ser brasileiro, italiano, neozelandês, sul-africano ou japonês em pouco tempo será algo ultrapassado, pois já não tem mais razão de ser no mundo atual.

A economia da inteligência artificial já está provocando transformações notáveis, como na Estônia, que é o país mais digitalizado do mundo e cresce a taxas maiores que os Tigres Asiáticos. A implantação do governo digital da Estônia aconteceu já em 1998, e hoje 99% dos serviços públicos estão disponíveis para os cidadãos como um serviço eletrônico. A eficiência do governo eletrônico é claramente expressa em termos do tempo de trabalho que os cidadãos e as instituições governamentais poupam e que, de outra forma, seria gasto em burocracias.

De acordo com o governo da Estônia, os países bem-sucedidos precisam estar prontos para experimentar esse tipo de atuação, por isso eles desenvolveram o que chamam de e-Estônia, considerada como uma das sociedades eletrônicas mais avançadas do mundo, e em experimentação contínua. Esse país vê o próximo passo natural na evolução do estado eletrônico com a transferência de serviços básicos para um modo totalmente digital, o que significa que as coisas podem ser feitas para os cidadãos automaticamente e, nesse sentido, de modo transparente.

Outro exemplo é a Suíça, sede mundial dos mais tradicionais bancos, que começou sua migração para o digital. O fenômeno da criptografia é de magnitude global, e, por sua tradição de governo descentralizado e regulamentação financeira flexível, a Suíça se viu em um momento de impasse, no qual se atualizar para reconhecer e trabalhar com as moedas digitais seria um grande passo para manter sua posição estratégica no panorama financeiro mundial.

Para se entender melhor, as redes públicas de *blockchain*, como bitcoin ou ethereum, não são controladas por nenhum Estado ou empresa. No entanto, apesar desse alto grau de descentralização e da primazia do digital, o mundo criptográfico precisa de pontos de contato com o mundo físico, ou seja, até mesmo o *blockchain* precisa de um lugar correspondente no off-line, e seria ideal que isso se desse em um país de governo descentralizado. Johann Schneider-Ammann, ex-membro do Conselho Federal Suíço, convidou seu país para o mundo da criptografia anunciando a Crypto Nation Switzerland já no início de 2018.

Em termos de cadeia de produção, o conceito de fronteira é também modificado, e agora é pensado em termos globais. O processo de fabricação ocorre em sua maior parte ainda dentro de fronteiras, mas a tecnologia permitiu integrar muito os mercados e conectar linhas de manufatura em diferentes nações. Como pontuou Jack Ma, presidente executivo do Alibaba: "No futuro, não haverá 'feito na China', nem 'feito nos Estados Unidos' ou 'feito no Peru'. Tudo será feito na internet".

Por outro lado, esse panorama se torna problemático quando consideramos que há nações ou grupos que dominam certos tipos de tecnologia e que começam a fazer um sufocamento de outros, criando o que se chama de *totalitarismo digital*, e isso fomenta ainda mais a desigualdade desenfreada que já existe.

No entanto, ao mesmo tempo que constatamos avanços em todos os cantos do planeta, temos que encarar que há locais em que problemas básicos ainda não foram resolvidos. Existem mais de um bilhão de pessoas vivendo sem energia elétrica, por exemplo, e ainda há países que não se abriram em nada para o novo, tendo ficado presos no século 19 – a Ucrânia, por exemplo. Esses locais em geral vivem uma grande convulsão social, especialmente a Ucrânia, instável desde que caiu o Muro de Berlim.

Uma coisa devemos afirmar: países que não tiverem um projeto de nação de futuro vão ter grandes problemas.

A CRIATIVIDADE QUE DESTRÓI TUDO

Como um tsunami de mudanças, estamos indo ao encontro do que chamamos de destruição criativa, que é a força motriz de toda essa transformação que estamos testemunhando. O termo foi cunhado pelo economista Joseph Alois Schumpeter, talvez o pensador mais influente quando se fala em inovação, empreendedorismo e capitalismo, e que em 1938 publicou o livro *Ciclos econômicos*.

O processo de destruição criativa se refere ao movimento incessante de produção e processamento de mecanismos inovadores no qual novos dispositivos são rapidamente substituídos por outros mais novos. Toda transformação provoca uma necessidade adaptativa e produção massiva de informação, o que nos permite detectar esse comportamento cíclico de renovação. Considerada um fator essencial do capitalismo e fruto das transformações na esfera econômica como as que exemplifiquei, a destruição criativa advém de ajustes estruturais que visam manter a movimentação do mercado.

Schumpeter propôs que inicialmente os ciclos de inovação duravam cerca de cem anos, ou seja, esse era o período que permaneciam os impactos de mudança para determinada indústria em um país. Depois, ele corrigiu esse tempo para cinquenta anos. Hoje esse processo dura cada vez menos e é cada vez mais rápido. Agora se fala em picos de inovação, ou seja, a mudança é tão acelerada e tão complexa que não temos tempo para nos preparar para ela.

As ideias desse autor sobre o capitalismo, o empreendedorismo e a inovação ainda reverberam na academia, especialmente considerando como suas formulações são atemporais. Thomas K. McCraw, da Harvard Business School, cita Schumpeter como guia principal do sistema capitalista, já que ele trouxe previsões que nenhum outro estudioso da área conseguiu apresentar, e a biografia que escreveu sobre o economista assim o consagra – O *profeta da inovação: Joseph Schumpeter e a destruição criativa* (Record, 2012) –, reunindo histórias sobre sua vida e obra. O livro permeia os insights do autor e mostra como as forças do capitalismo, da inovação e do empreendedorismo continuam a transformar o mundo hoje.

"Sem inovações, não há empreendedores; sem empreendedorismo, o capitalismo não gera retorno, tampouco há o que possa impulsioná-lo", escreveu o autor não sobre os dias de hoje, mas durante a crise econômica de 1929, época em que muitas pessoas haviam perdido a fé na tecnologia e acreditavam ser o fim do sistema capitalista. Mas o que ele entendeu já nessa época é que sempre há alguém disposto a desenvolver o que você está desenvolvendo, e de forma mais fácil ou mais rápida, furando toda a cadeia produtiva que existe e mostrando que tudo o que construímos será substituído por uma versão melhor logo adiante. Isso vale não apenas para bens materiais.

Essa é uma lição complicada de se aceitar, ainda mais quando consideramos processos que tiveram sucesso, mas, assim como na natureza, o desenvolvimento dos negócios deve obedecer a uma lei de adaptação, e os ambientes empresariais seguem essa lógica, da sobrevivência do mais apto.

Apesar de terem escrito seu livro no século 20, célebres economistas, entre eles Larry Summers e James Bradford DeLong, consideram o século 21 como o "século de Schumpeter", já que os processos de inovação e o investimento em novas ideias e novos modelos de negócios estão se multiplicando em todo mundo. As novas tecnologias da indústria 4.0 estão promovendo inúmeras mudanças e têm o potencial de redefinir nossa sociedade. Estudar e analisar as possibilidades de futuro é o que vai nos permitir trazer todo esse desenvolvimento para nossas vidas de forma benéfica, em vez de nos perdermos no processo.

A agilidade com que as mudanças têm acontecido implica que o tempo de resposta a elas precisa ser mais rápido. Hoje os governos e suas instituições adjacentes precisam estar preparados para responder no tempo mais curto a essas reviravoltas tecnológicas, especialmente considerando o acesso aos dados disponíveis. Desenvolver essa agilidade, porém, exige uma mudança de cultura, já que todo esse processo demanda que os regulamentos de ação dos governos sejam revisados, para determinar como minimizar a burocracia geradora da inércia que impede a transformação dos sistemas existentes.

A VELOCIDADE DA PRODUÇÃO DE CONHECIMENTO

Vivemos em meio a uma produção massiva de conteúdo e dados. A quantidade de informação que produzimos nos últimos tempos equivale a quarenta *zetabytes* (um *zetabyte* corresponde a 1.000.000.000.000.000.000.000 ou 10^{21} ou 2^{70} *bytes*), dependendo do contexto. Se pudéssemos calcular isso de um modo, digamos, sólido, seria do tamanho de mais de quarenta Muralhas da China enfileiradas.

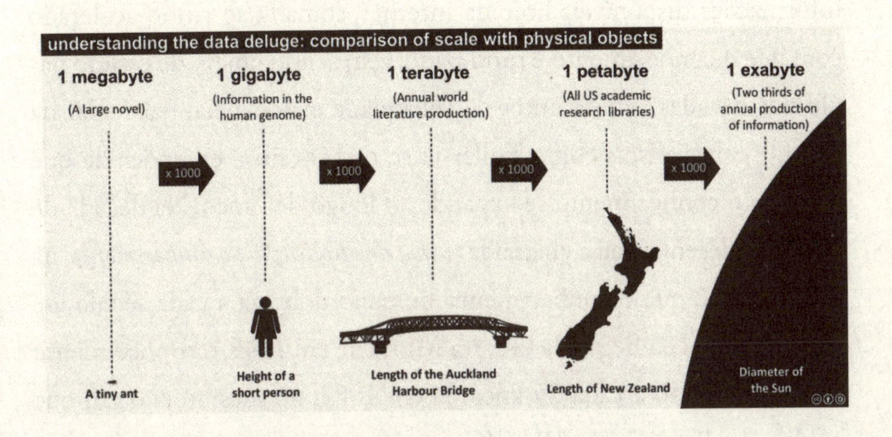

Understanding the Data Deluge: Comparison os Scale With Psysical Objects (Infographic created by Julian Carver of Seradigm in New Zealand http://www.saradigm.co.nz)

A quantidade de informação gerada por ano é tão grande que há cientistas dedicados unicamente à tarefa de medir quanto dela há no mundo. Um estudo da Universidade da Califórnia, em Berkeley, chamado "Quanta informação?", estima que só em 2002 foram produzidos e estocados cinco *hexabytes* da dados apenas em mídia física, como papel, filme, meios óticos e magnéticos, e isso equivale ao conteúdo de quinhentas mil bibliotecas do Congresso Nacional dos Estados Unidos, considerando que cada uma delas teria dezenove milhões de livros e 56 milhões de documentos. Se dividíssemos isso pelos mais de sete bilhões de habitantes do planeta, cada pessoa produziria o equivalente a oitocentos *megabytes* por ano, o que corresponde a uma pilha de livros de dez metros de altura. Fotos digitais e vídeos também entram nessa conta de produção de informação.

Em um momento no qual baseamos todas as nossas construções puramente em informação, o volume de conhecimento que temos dobra cada vez mais rapidamente, como já observou Le Coadic, pesquisador da ciência da informação, e também o futurista e inventor Buckminster Fuller, que era também arquiteto e designer. A quantidade de informações disponíveis hoje na internet, somada ao ritmo acelerado com que o conhecimento é produzido, vem sendo objeto de estudo nas últimas décadas. Muito antes da velocidade exponencial particular da era 4.0, especialistas como Fuller já se dedicavam a entender de que maneira o conhecimento se expande ao longo dos anos. Na década de 1980, ele desenvolveu a chamada *curva de duplicação do conhecimento*, na qual estimou que o conhecimento humano dobrava a cada século até 1900. Ao final da Segunda Guerra Mundial, em 1945, o conhecimento estava dobrando a cada 25 anos. Já em 1982, no mesmo ano em que publicou o livro *Critical Path* (Caminho crítico, em tradução livre), o conhecimento dobrava a cada treze meses.

As estimativas do pesquisador foram depois complementadas pela IBM, que é conhecida por fazer previsões audaciosas sobre o futuro em sua tradicional lista *5 in 5*. A empresa previu que até 2020 o conhecimento já estaria dobrando a cada doze horas.

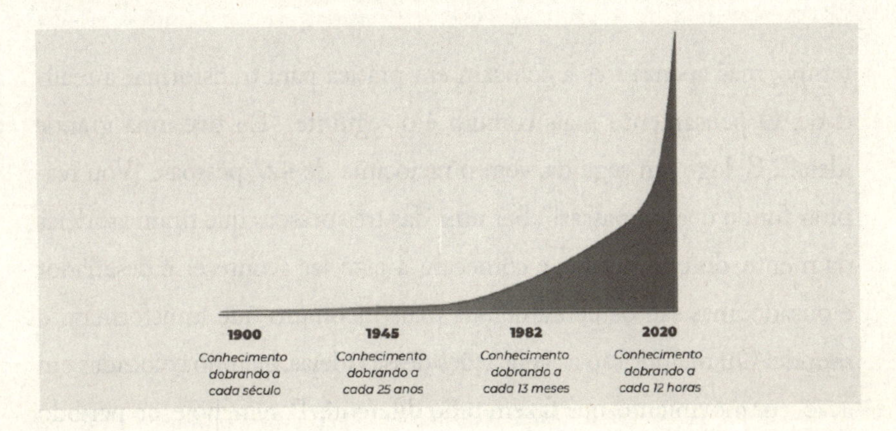

Curva de duplicação do conhecimento, de Buckminster Fuller e IBM.

Isso tudo significa que, hoje, qualquer profissional de qualquer área, seja educação, medicina, engenharia ou cinema, para se manter atualizado com tudo o que está acontecendo no mundo, teria que dedicar 160 horas por semana a estudos. No entanto, a semana tem 164 horas! Não seria possível viver assim. Fica claro que não há tempo para assimilar tudo, e isso gera angústia e ansiedade de perder informações. O tal do FOMO, *Fear of Missing Out*, é real, e é relativo não apenas a informações fúteis compartilhadas em redes sociais, mas também ao que realmente é relevante. O descompasso entre a velocidade com que as coisas acontecem e nossa capacidade como seres humanos de absorver e entender tudo isso causa a sensação de estarmos perdidos em meio a tanta informação.

A velocidade e, ainda mais importante, a simultaneidade com que as informações são criadas, fazendo os eventos se transformarem e causando o efeito cascata do movimento do mundo, exigem que nos posicionemos de forma inteligente, para não perdermos o fio condutor dos acontecimentos, que permite que pessoas, empresas e governos se transformem, ou então se percam no processo e se tornem ultrapassados.

Para se ter uma ideia de como o momento é importante, estima-se que no mundo, em média, 430 pessoas têm uma mesma ideia ao mesmo tempo, mas apenas três a colocam em prática para transformar a realidade. O pensamento mais comum é o seguinte: "Eu tive uma grande ideia!". E, logo em seguida, vem o raciocínio de 427 pessoas: "Vou respirar fundo que vai passar!". Ser uma das três pessoas que tiram as ideias da mente, do caderninho, e começam a fazê-las acontecer é desafiador e ousado, mas são os pensamentos mais incomuns que transformam o mundo. Ou melhor, são as aplicações dessas ideias, quando colocadas em ação, em movimento, que fazem tudo diferente. Porém, hoje, no período de apenas um ano, quase tudo que um dia se imaginou será colocado para funcionar por alguém, e aí não é mais uma questão de "o maior comendo o menor", como acontecia com as empresas poderosas até pouco tempo, mas de o mais ágil deixando os mais lentos para trás.

Pesquisadores acreditam que vivemos um Big Bang da inovação, que não exige idade para acompanhar, mas pede velocidade. E se o assunto da aceleração no mercado de trabalho provoca calafrios em muita gente, para dois consultores de estratégia americanos, Paul Nunes e Larry Downes, a velocidade é o bem mais valioso que se pode ter nos negócios hoje em dia. Essa é a conclusão do livro que a dupla lançou, chamado *Big Bang Disruption: Business Survival in the Age of Constant Innovation* (Disrupção Big Bang: a sobrevivência dos negócios na era da inovação constante, em tradução livre). Segundo eles, a evolução de uma inovação, que antes era representada por um gráfico em forma de morro com uma leve subida, hoje tem a forma de uma barbatana de tubarão, o que atropela tecnologias e cria ciclos de vida curtíssimos de produtos e serviços. Não é mais possível ficar parado esperando o trem-bala da inovação passar sem se movimentar com rapidez e agilidade para acompanhar.

O MUNDO CORPORATIVO É MUITO MAIS COMPLEXO

Nos últimos anos, os ambientes complexos nas empresas foram um grande foco dos meus estudos. As transformações nas organizações precisam acompanhar o fluxo e a velocidade das mudanças que vemos no mundo, e as últimas três ou quatro décadas trouxeram um novo panorama para a gestão. Esses ambientes complexos são como momentos de instabilidade pelos quais as empresas passam quando várias mudanças se apresentam no mercado, fazendo com que as corporações precisem promover um sistema de adaptação.

Ambientes complexos compreendem movimentos que abrangem transformação digital, transição de liderança, fusões e aquisições, novos processos de gestão, descentralização do poder de decisão, entrada de novos concorrentes, surgimento de novos mercados, reposicionamento cultural e mudanças estratégicas, agilidade de startup e reestruturação geral.

Ao verificar esses eventos, constata-se que, na década de 1980, uma empresa de qualquer porte passava, em média, por um ambiente complexo a cada dez anos. Na década de 1990, eram dois ambientes complexos a cada cinco anos. Neste exato momento, porém, as empresas estão passando por aproximadamente vinte ou mais ambientes complexos simultâneos, o que torna tudo muito difícil.

É a velocidade dos acontecimentos que pressiona o surgimento desse panorama, e isso traz consequências com as quais é preciso aprender a lidar. Hoje, presidentes ou CEOs já não permanecem nos cargos por mais tanto tempo quanto antes. O "pensamento startup" nas corporações pressiona para que "ágil" seja a nova palavra de ordem, em que errar já não é problema, desde que se faça isso rapidamente, para que a falha seja corrigida e o reposicionamento venha com celeridade. Os movimentos empresariais com seus ambientes complexos causaram também uma transformação na maneira como se dá a prestação de serviço, com o surgimento dos autônomos trabalhando em rede e desafiando indústrias inteiras, em uma nova fase do capitalismo compartilhado.

O TRABALHO NÃO É MAIS ESTÁVEL

No século 18, o filósofo iluminista Adam Smith dizia que viver em sociedade pressupõe disponibilidade para o intercâmbio, o que, com a evolução das dinâmicas sociais, nos trouxe à divisão do trabalho. Em termos de economia, a divisão do trabalho é a grande causa do aumento da capacidade produtiva, favorecida primordialmente em momentos de estabilidade social, e evolui tendencialmente para novas subdivisões, como elos de uma corrente que são acrescentados. Smith começa se referindo às artes insignificantes, que na sua ótica são aquelas que suprem as necessidades de grupos reduzidos.

O que vemos hoje, no entanto, é a transformação de toda essa estrutura de sustentação da sociedade que era baseada unicamente no peso do trabalho como pilar de manutenção. A queda desse sistema é um marco importante, e o impacto disso é imensurável. Há também a desconstrução dos indicadores econômicos, que foram criados ou ganharam força por ocasião do Acordo de Bretton Woods, em 1944, sob os tambores da destruição da Segunda Guerra Mundial. A conferência de julho de 1944 que ocorreu na cidade de Bretton Woods, no estado de New Hampshire, nos Estados Unidos, contou com 730 delegados das 44 nações aliadas e tinha como objetivo estabelecer as bases do funcionamento capitalista no pós-guerra.

Os Estados Unidos saíram da guerra como imperialistas, como uma economia hegemônica, enquanto os outros países necessitavam de regras que dessem estabilidade monetária e, ao mesmo tempo, plena liberdade para seus capitais ocuparem o mundo. A partir desse acordo, o dólar foi estabelecido como moeda forte do sistema financeiro internacional, sendo o parâmetro de troca internacional, com o governo daquele país garantindo que ele poderia ser convertido em ouro. Buscando regulamentar o sistema de então, foram criados o Fundo Monetário Internacional (FMI) e o Banco Mundial, com o objetivo formal de financiar a reconstrução das economias destruídas pela guerra e garantir a estabilidade monetária.

Essas organizações trouxeram soluções para aquele momento, suprindo uma necessidade pontual do mundo em um contexto no qual não havia outras respostas que pudessem ser efetivas. Mas os tempos mudaram, e não há justificativa para manter lógicas que não atendem mais às necessidades atuais e, além disso, geram uma série de complicações que poderiam ser evitadas com uma adaptação.

Pensando no novo patamar de produção em escala global e na queda das barreiras entre as nações que já vivem em um mundo de colaboração, novos índices são necessários para acompanhar o progresso desses países e de suas empresas, com a inserção da tecnologia nas linhas produtivas, a transformação da lógica do trabalho e a reformulação do emprego.

O modelo de trabalho com horários fixos, jornada inflexível e local determinado está se esgotando. As empresas estão muito burocráticas, e os funcionários estão infelizes. O problema é que a mentalidade do emprego estável com carteira assinada ainda predomina na sociedade, e a maioria esmagadora dos cursos universitários ensina os alunos a procurar um trabalho assim, o que gera escassez de cérebros inventivos, dispostos a criar algo novo. Hoje já se constata que houve grande crescimento na oferta de empregos para alta qualificação e algum crescimento entre os cargos para baixa qualificação, mas queda nos que exigem qualificação média. E, na maioria dos países, as condições de trabalho pioraram para os profissionais sem ensino superior, sobretudo os jovens.

A Europa em crise já discute o fim dos empregos que sustentavam a classe média tradicional e o próprio declínio dessa faixa social. Entre os espanhóis que têm menos de 25 anos de idade, o desemprego é da ordem de 48%. Os jovens que mantêm suas ocupações são os chamados "mileuristas", ou seja, profissionais com pós-graduação e que recebem em média mil euros por mês. Esses salários baixos de muitas profissões não atendem às aspirações de crescimento dessa geração, educada para ascender a outro padrão de vida.

Uma executiva que conheço desabafou outro dia sobre a dificuldade que encontra para manter profissionais de alto potencial na equipe. "Nos últimos tempos, eles ficam na empresa uma média de três anos", disse ela. Após esse período, eles cansam da mesmice e mudam de emprego. A executiva lamenta essas perdas, pois já viu a empresa investir tempo e dinheiro na preparação das pessoas talentosas que se vão. Esse é um problema generalizado do mundo corporativo.

Para manter os bons profissionais, as empresas gastam fortunas em programas de atração e retenção. Está na moda o *employer branding*, um conjunto de técnicas usadas para reforçar a imagem de boa empregadora de uma empresa, uma artimanha para transformar um escritório burocrático em um lugar fantástico para trabalhar. As pessoas querem criar, realizar e inovar, mas o trabalho convencional não dá vazão a essas aspirações.

Os empregos do futuro, como já disse, serão ligados à economia digital. Algoritmos de caça-talentos vão buscar os melhores profissionais no mundo para cada função, e vamos poder utilizar seus serviços com a inteligência artificial de qualquer lugar, em qualquer lugar, com os serviços dos seres humanos indo para a nuvem. Essa tecnologia, porém, vai gerar cada vez mais desemprego, e muitos vão estar despreparados para agir nesse mundo, nas funções que realmente vão demandar pessoas. Se você for a um banco e observar o indivíduo que trabalha no caixa, verá que geralmente ele está com a expressão "Que trabalho é esse que estou fazendo, repetitivo, nada criativo, automático e cheio de regras?". Em uma granja, há alguém que é a responsável por coletar o ovo de um dia. Essa pessoa pega o ovo que acabou de ser botado e coloca na estufa. Todos os dias, essa encarregada recolhe cerca de três mil ovos. Imagina qual é sua motivação com um trabalho desses?

Se formos pensar que basicamente todas as funções humanas de um caixa de banco ou de um funcionário de granja já podem ser realizadas por máquinas eletrônicas, podemos entender que este será o destino de trabalhos similares: ser substituídos por computadores comandados por inteligência artificial.

EMPREGADOS E DESEMPREGADOS TECNOLÓGICOS

Até os anos 1950, mesmo com o advento da Revolução Industrial, os aparelhos despertadores não existiam. Quando passaram a existir, ainda eram muito caros. Por isso, havia uma função para acordar as pessoas, exercida por homens-despertadores. Eles caminhavam pelas cidades com bastões, batiam nas janelas dos seus "clientes", que os contratavam para acordá-los em determinado horário, e ali ficavam, batendo e chamando a pessoa, só saindo da frente da janela quando o cliente acordasse. Quando os aparelhos despertadores se popularizaram, esses trabalhadores perderam o emprego, em um caso clássico de desemprego tecnológico, já que sua função foi substituída por uma máquina, por mais rudimentar que fosse.

Hoje estamos lindando com máquinas ultrassofisticadas, controladas por inteligência artificial, que ameaçam milhões de empregos. Estima-se que a taxa de destruição de postos de trabalho pelo uso da IA pode ultrapassar a taxa de criação de novos empregos humanos, se considerarmos os cenários no curto prazo. A questão no longo prazo traz um cenário no qual as IAs têm a capacidade de executar as funções dos novos empregos melhor, mais rapidamente e com menor custo do que os seres humanos. Esses fatores podem servir para reduzir a demanda pelo trabalho humano.

Sempre levo em minhas aulas o NAO, um robô com inteligência artificial, para que ensine aos meus alunos. No Brasil, já são quinze professores-robôs como o NAO, e mais de oitenta mil no mundo, que cobrem as mais diversas áreas do conhecimento. Quando um robô aprende algo em algum canto do planeta, todos aprendem também, pois trabalham em rede e, automaticamente, melhoram sua maneira de ensinar na sala de aula.

Eu e meus alunos ficamos de boca aberta com a aula do professor-robô. Saí da sala com algumas perguntas martelando a cabeça, e uma delas era a clássica: "O que farei quando os robôs roubarem meu emprego? Consigo ensinar pessoas que irão trabalhar com máquinas inteligentes?". Dias depois, me dei conta do quanto os humanos já estão sendo substituídos por robôs. Aconteceu em uma visita que fiz a uma montadora de automóveis, onde me senti como se estivesse no filme *Transformers*. Passado o susto, comecei a pensar em um futuro bem mais harmonioso, com seres humanos e máquinas dividindo tarefas sem rivalidade. Os robôs dirigiriam nossos carros e fariam os trabalhos enfadonhos, e, assim como na Grécia antiga, teríamos mais tempo e usaríamos nossos neurônios para fazer as perguntas essenciais da humanidade como: "Quem sou eu? O que estou fazendo de fabuloso neste mundo?". Mas como nos adaptamos a isso?

Aí há dois fatores, dois processos que são bem complexos. Primeiro, o desemprego tecnológico e uma sociedade com menos trabalho em qualquer área. Na Ásia já existe uma empresa muito grande, com cinco conselheiros, em que um deles é uma máquina de inteligência artificial, que está dando ideias e recomendações com quase

100% de assertividade, ameaçando o desemprego tecnológico até nos conselhos de administração das empresas. Se projetarmos isso para outras hierarquias, o desemprego será gigantesco. E isso vai acontecer com o motorista de ônibus, de táxi, com os médicos, advogados etc.

Segundo, não há tempo para que as instituições e os países preparem as pessoas nessa transição. Um tempo atrás, profissionais de inteligência artificial eram muito procurados. A demanda ainda continua, mas agora há vagas, por exemplo, para terapeutas ligados à inteligência artificial. E como se criam essas profissões? Como as pessoas se preparam para esses novos empregos?

Por outro lado, há aqueles que já estão trabalhando na economia digital e em um fluxo de alta produção, ou seja, hoje, além das pessoas que estão preocupadas em manter os empregos, há aquelas que estão atentas em como se manter atualizadas. As empresas hoje querem descobrir as mentes criativas por trás das transformações e recrutá-las. Procuram novos líderes, capazes de navegar em tempos de caos nos negócios, e a verdade é que profissionais assim estão em falta.

Um alto executivo da indústria farmacêutica contou-me que, para aplicar inovação nesse mercado, são necessárias resiliência, inteligência, consistência e criatividade, e lamentou: "A maioria abandona a ideia no primeiro obstáculo". Venho há um tempo falando sobre inovação radical, desemprego tecnológico e sobre a liderança do servir, e observo que uma nova humanidade estará surgindo entre nós totalmente imersa em uma realidade na qual já adentramos, que é a era dos dados, cujo grande mantra que ecoará será a ilustre frase do professor William Edwards Deming: "Nós acreditamos em deus; todos os outros devem trazer dados".

Uma vez inseridos nessa era dos dados, da liderança do servir, entramos na era da realização, que nos levará para um mundo em que viveremos melhor e com mais qualidade de vida, saindo de uma época de escassez, como a industrial, e entrando na tão bem-vinda era da abundância e da organização em rede, em que nos sobrará um pouco de tudo – saúde, dinheiro, recursos –, e então estaremos caminhando para um mundo muito melhor.

A cada cinco anos, mais de um terço das competências que são consideradas importantes na força de trabalho de hoje já terá mudado. Essa é a conclusão de relatórios e documentos publicados pelo Fórum Econômico Mundial, que dizem que alguns trabalhos vão desaparecer, enquanto outros, que nem sequer existem hoje, se tornarão comuns, e para isso certamente o futuro da força de trabalho terá de alinhar seu conjunto de habilidades para manter esse ritmo cada vez mais disruptivo.

É fácil olhar para os fantásticos avanços nos campos da tecnologia da informação e da robótica nos últimos cem anos e temer pelo futuro do trabalhador. Do chão da fábrica ao caixa do armazém, inúmeras funções outrora realizadas por humanos agora foram transferidas para os computadores. Tecnologias como a dos carros autônomos, sem motorista, prometem que mais empregos serão perdidos para os computadores e para inteligências artificiais na próxima geração.

Trocam-se empregos chatos de apertar parafusos por empregos em rede e de alto coeficiente emocional, espiritual e intelectual. Ocupações e cargos criativos e cognitivos de altos salários por trabalhos repetitivos e rotineiros, em plataformas de nuvem humana que classificam os trabalhadores como autônomos.

A General Motors introduziu o conceito moderno do carro sem motorista na Feira Mundial de 1939, em Nova York. O primeiro robô foi o da Ford, criado na década de 1950, mas a robotização da indústria como um todo e de várias carreiras vai acontecer massivamente. Trabalhos manuais, que não exigem intelecto humano, vão ser feitos por máquinas. A concepção de um carro será feita por um humano, por um designer, mas para a montagem não serão mais necessários operários.

Isso já está acontecendo, inclusive no Brasil. Se você for à fábrica da BMW em Santa Catarina, ou à planta da Scania, em São Bernardo do Campo, São Paulo, verá que há pouquíssimos profissionais humanos por lá. É tudo robotizado.

O tempo dos robôs, da automação, dos cientistas de dados e da onda do desemprego tecnológico já começou. Vivemos a transição entre decisões e ações rotineiras – automatizadas – e atitudes excepcionais – humanas. As máquinas inteligentes, que tomam decisões baseadas em dados, serão as parceiras ideais do profissional do conhecimento. Desenvolver habilidades cognitivas (pensamento lógico e crítico diante de problemas complexos) e habilidades sociocomportamentais (criatividade, curiosidade, espírito de cooperação) são as necessidades do momento. Quando unirmos as interações homem-máquina e a inteligência mecânica com o melhor da inteligência coletiva, chegaremos a uma nova era do trabalho. Saem os ferramenteiros e entram os estrategistas; sai o líder "mão na massa" e entra o líder inovador. Quando homens e robôs trabalham juntos, o que prevalece são ideias, não objetos; mente, e não matéria; *bits*, e não átomos; interações, e não transações.

CARROS QUE NÃO PRECISAM DE MOTORISTAS

Os carros que conhecemos hoje muito em breve serão tão antiquados quanto achamos atualmente o primeiro automóvel de 1876 de Karl Benz, fundador da Mercedes-Benz. Automóveis são um dos bens mais caros em que a maioria das pessoas ainda investe. Apesar disso, eles permanecem parados e sem uso durante 96% do tempo em média.

A possibilidade de uma dinâmica urbana sem motoristas já é real hoje. No Aeroporto de Heathrow, em Londres, há uma área de "transporte em cápsulas", que se movem por vias exclusivas. Nesse meio de transporte especial, o passageiro entra e aciona o funcionamento do veículo por meio de um único botão "start". Em Mountain View, na Califórnia, o carro autônomo do Google está sempre esperando que os pedestres atravessem a rua. Em Lisboa, os "táxis-robôs" já funcionam, indicando que os carros autônomos reduzirão em até 90% o número de veículos urbanos. Na Universidade de Stanford, cientistas preveem que no futuro "haverá muito menos carros nas ruas, talvez apenas 30% dos que circulam hoje".

Vários setores da economia ficarão de pernas para o ar e redefinirão a vida urbana. As montadoras sentiriam o chão sumir sob seus pés, assim como ocorreu com a Nokia e a Kodak. A gigante da mineração Rio Tinto já utiliza 53 caminhões que dirigem a si próprios em três das minas que a empresa explora na Austrália. A Mercedes-Benz também começou a circular seus caminhões autônomos. A pesquisadora Carlota Pérez, da London School of Economics, especialista no impacto socioeconômico das mudanças tecnológicas, acredita que a ciência econômica ortodoxa está perdida diante dessa nova realidade. A professora afirma que tanto as grandes empresas quanto os indivíduos estão passando por um processo de aprendizagem em um mundo em que coexistem compra, aluguel, troca e compartilhamento de bens e serviços. Garantir que nenhuma faixa do globo seja deixada para trás não é um imperativo moral; é um objetivo crucial para mitigar o risco de instabilidade mundial.

A Alemanha já colocou todas as principais definições de como vai funcionar o carro sem motorista, mas ainda há muito o que discutir sobre o assunto. Se você estiver em um carro sem motorista e ocorrer um acidente, a culpa é sua, de quem fabricou o carro ou de quem fabricou o *software* da inteligência artificial? As discussões agora passam a ser essas. Os especialistas dizem que haverá redução de 99% dos acidentes, mas vão acontecer e a máquina precisará ter um processo de pensamento. Por exemplo, sem saída, se tiver que decidir entre atropelar um idoso ou uma criança, quem ela escolhe? Estamos no meio de dilemas de uma nova ética.

PRÁTICAS E CONCEITOS DESATUALIZADOS

Apesar de estarmos expostos a transformações que mudam a realidade definitivamente, ainda estamos condicionados a entender a atualidade com os olhos do passado. Nossos conceitos estão desatualizados e estamos vivendo em total descompasso entre o desenvolvimento das fronteiras do pensamento e a aplicação na realidade das novas ideias que surgem. E essa é mais uma causa da fragmentação do mundo em que vivemos.

Vamos analisar: o que é a *vara* de um juiz? Na época do Império, o juiz chegava ao tribunal com uma vara, com a qual ele batia e todo mundo fazia silêncio. E se você desafiasse o juiz, iria preso e não sairia mais. Então surgiu a primeira vara do Império, e hoje perpetuamos isso. O juiz fala para o advogado: "Diga a seu cliente que ele não pode dirigir a palavra a mim". No mundo de hoje, isso não cabe mais, pois o juiz deveria estar ao lado da população; mas ainda existem os privilégios do tempo da vara do juiz e das capitanias hereditárias.

Sempre ouvimos que deveríamos seguir algumas diretrizes: estude, trabalhe, pague impostos e você terá uma boa vida. Mas não é o que estamos vendo na prática. Não está sendo possível para a maioria, que vive uma precarização de condições mínimas de vida. A educação é insatisfatória, o trabalho é escasso ou mal remunerado, os impostos são usurpantes, e o que há em troca é indigno. A maioria das pessoas vive em locais em que o transporte é péssimo, insuficiente ou desumano, não há acesso mínimo a condições básicas de saúde ou saneamento, a segurança simplesmente inexiste... O que se vê é abuso de poder público, corrupção e projetos de poder para perpetuar interesses pessoais ou de pequenos grupos. E não é uma coisa exclusiva do Brasil; é geral, com pouquíssimas exceções.

O que entendemos aqui como precariado é um conceito que data ainda da década de 1980, na Itália, onde começou a se observar formatos de trabalho autônomo que fugiam do padrão típico. As pessoas que estão inseridas nesse novo modo de trabalhar têm sérias dificuldades para se adaptar ao mercado, que já não traz contrapartidas em períodos de instabilidade econômica, o que gera uma nova classe de empregos, ou melhor, de subempregos.

A iminência da transformação tecnológica que se deu nos anos 1970 causou inúmeras disrupções nos formatos que regiam o cotidiano social. Um breve exemplo disso é a mudança que ocorreu nas hierarquias empresariais, que se tornaram mais horizontais, com a consequente supressão de diversos profissionais que atuavam em papéis intermediários e que foram substituídos pelos sistemas de informação. A partir de então, as hierarquias passam a ser mais livres e diretas, comprometendo certas funções por essa nova flexibilidade de comunicação.

Essas transformações permitiram que novos formatos de interação entre corporações e funcionários se desenvolvessem, abandonando aquela antiga lógica fordista estabelecida no início do século 20. Essas novas configurações, bem como a falta de atualização dos formatos trabalhistas legais, causaram precarização dos vínculos trabalhistas, alimentando o ciclo de disparidades existente na sociedade. Criamos um processo em que deixamos um pequeno grupo dominar, e isso só criou benefícios para esse grupo. E me refiro não apenas aos políticos, mas também a empresários, juízes e outras castas.

Com o advento do capitalismo digital, há agora o tecnoprecariado. As tecnologias digitais, a *Gig Economy* e a economia sob demanda flexibilizaram a mão de obra por meio de enormes plataformas, que transferem a responsabilidade de tudo para os usuários. Criam muita riqueza para os criadores dos superaplicativos e uma forma de subemprego e condições de trabalho insalubres para pessoas que precisam dirigir ou pedalar dez, doze ou quatorze horas por dia para se sustentar.

A era digital, que prometia compartilhar igualdade, multiplicou a precariedade, seja de entregadores de alimentos nas grandes cidades, seja de chineses em jornadas hercúleas em fábricas de smartphones. Empresas de governança algorítmica deixam de vender produtos e serviços para entregar valores e propósitos. Goste ou não, é o futuro entrelaçado de seres humanos e máquinas, uma coevolução simbiótica contínua de cultura e tecnologia.

NÃO HÁ TEMPO DE GERENCIAR A MUDANÇA

Os movimentos de vanguarda em geral incomodam. A inovação tem uma questão bastante complicada para quem se depara com ela e não acredita que vem para ficar. Primeiro, quando a pessoa vê a inovação, ela ri e debocha dela. Depois, tenta proibi-la. Em seguida, tenta comprá-la. Na última fase, a pessoa chora por não ter participado da evolução. Se você observar as empresas e os países que estão com problemas, vai verificar que agiram exatamente assim quando se depararam com a iminência de uma necessidade de mudança.

Todo mundo diz que quer a mudança, mas ela está acontecendo tão rapidamente, e trazendo questões tão profundas, que não há tempo para entendê-la e gerenciá-la, pois agora é acelerada, expansiva, crescente, exponencial, escalada e simultânea. Todo profissional, no entanto, vai ter que fazer a gestão dessa mudança.

Mas o que é gestão da mudança? É lidar com o presente, com as coisas que temos de entregar no nosso dia, fazendo os nossos afazeres e separando um pouquinho de recursos para fazer a transformação para o futuro. Isso exige trabalho, é dolorido, mas não há como escapar se quisermos acompanhar os acontecimentos e conseguir dar o próximo passo na carreira e no mercado, sem ficar para trás.

Em geral, as pessoas não fazem gestão de mudança, ou gestão de futuro, e são pegas de surpresa. Quando percebem, os fatos atropelam, a situação se torna urgente e bate o desespero, pois as transformações engolirão pessoas, empresas e processos. É preciso ser preventivo antes que o tsunami chegue, e em geral os sinais sempre são dados antes, mas as pessoas insistem em não olhar para eles. Quem consegue ver tem a chance de se adaptar.

No final do século 20, o Conselho de Administração da Philips Morris reuniu-se para discutir como a empresa estaria no século seguinte. A companhia lançou um manifesto chamado "Sociedade Livre da Fumaça", no qual disse que entendiam que haviam cometido erros, mas que no século 21 não era mais possível apenas ter lucro. Era preciso ter propósito, e por isso estavam se retirando do mercado de cigarros. E já saíram dessa indústria em mais de dez países, prometendo interromper totalmente as atividades nas próximas décadas. Em substituição, estão atuando em outras áreas, investindo em água potável e outros produtos, em uma mudança imensa. Disseram que "tomaram uma decisão dramática, mas entenderam que atualmente não cabe mais atuar com esse produto, e por isso vão procurar outros caminhos". Não vão destruir a empresa, mas vão produzir outra coisa. O olhar e o entendimento de futuro que esses executivos tiveram são essenciais para se manter no mercado. Mesmo estando na frente de uma das maiores empresas da indústria do tabaco no mundo, tiveram o cuidado de olhar para como o mercado estava se transformando e como eles precisavam mudar para se manter como um grande *player*.

Ao tratar de gestão de mudança, as pessoas falam de inovação, mas se faz uma grande confusão sobre o que é inovação. A inovação tem várias facetas, e é necessário pensar qual é a inovação possível, pois talvez não se consiga fazer uma virada radical de uma hora para outra. É como um transatlântico: as manobras precisam ser graduais, senão o navio tomba. A inovação radical é interessante, mas talvez você precise fazer uma inovação planejada ou uma inovação incremental.

Hoje já existe tecnologia para decidir o que fazer em nossa rua, em nossa cidade, em nosso estado, em nosso país. Se já estamos maduros para isso não podemos afirmar, mas já temos os recursos. Então, ou começamos a pensar de uma forma mais inteligente para a sociedade como um todo, ou vamos chegar a um colapso.

As transformações no sistema econômico e no mercado de trabalho foram evidentemente as mais drásticas, já que esses cenários são pilares sociais. As ameaças ao sistema capitalista como é hoje, com a nova lógica de uma economia descentralizada e virtual, são iminentes, e logo teremos de começar a pensar em processos a partir daí. Mas se estivermos alinhados com todo o movimento transformador, a mudança não será nada mais que um fluxo natural das coisas e passará a ser parte integrante do que virá a se formar para o futuro, e não uma obsolescência. Parece óbvio perguntar por que essas mudanças causam medo, mas quem não resolveu suas questões, se reposicionando com inovações, está longe de se manter funcional nos próximos anos e nas próximas décadas.

A VELOCIDADE DA INOVAÇÃO É MUITO ALTA

A inovação é uma das forças motrizes do mundo, e a constante criação de novas ideias e sua transformação em tecnologias e produtos formam uma poderosa base para a sociedade, principalmente do século 21. De fato, muitas universidades e institutos, juntamente com regiões como o Vale do Silício, cultivam esse processo.

A taxa em que as inovações aparecem e desaparecem foi cuidadosamente medida. No entanto, ainda é um mistério como se dá o processo de inovação. Uma ampla gama de pesquisadores o estudou, desde economistas e antropólogos até biólogos evolucionistas e engenheiros, com o objetivo de entender como ele acontece e quais são os fatores que o impulsionam, para que possam otimizar as condições para futuras ondas. Porém, essa abordagem teve sucesso limitado.

Esse cenário mudou graças aos estudos de Vittorio Loreto e seus colegas, na Universidade Sapienza de Roma, na Itália. Eles desenvolveram o primeiro modelo matemático que reproduz com precisão os padrões do mecanismo das inovações. O trabalho abre caminho para um novo entendimento do estudo da inovação, assim como do que é possível e como ela surge a partir do que já existe. Stuart Kauffman, teórico da complexidade, foi o primeiro a postular a noção de que a inovação surge da interação entre o real e o possível. No ano de 2002, o pesquisador trouxe uma nova maneira de pensar sobre a evolução biológica: a ideia do "adjacente possível".

O que ele chama de *adjacente possível* são todas as coisas que estão a um passo do que realmente existe: ideias, palavras, canções, moléculas, genomas, tecnologias e assim por diante. Tudo isso é o que conecta a realização real de um fenômeno particular e o espaço de possibilidades inexploradas, ou seja, uma leitura de alternativas que partem do que já existe, como uma árvore de probabilidades.

Essa ideia é interessante, embora seja difícil de modelar por uma razão: o campo das possibilidades inexploradas inclui todos os tipos de coisas que são facilmente imaginadas e esperadas, mas também abrange aquilo que é totalmente inesperado e difícil de imaginar. Ao mesmo tempo que os primeiros são de certa forma simples de mapear, aquilo que é totalmente inesperado e difícil parece quase impossível.

Outro fator a ser considerado é que cada inovação transforma o panorama das possibilidades futuras. Assim, o espaço de possibilidades inexploradas – o adjacente possível – está em constante transformação. Loreto e seus colegas pontuaram as complicações que se desenrolam ao tomar essa questão como um fator que dirige o estudo das inovações. Nas palavras deles: "embora o poder criativo do adjacente possível seja amplamente apreciado em um nível anedótico, sua importância na literatura científica é, em nossa opinião, subestimada". Mesmo considerando toda a complexidade que envolve o processo de inovação, ela ainda apresenta padrões previsíveis e mensuráveis que permitem detectar movimentos conhecidos como "leis", por causa de sua onipresença.

Uma dessas leis é a Lei de Heaps, que afirma que o número de coisas novas aumenta em uma taxa sublinear. Outra lei estatística que leva em conta os padrões que geram a inovação é a Lei de Zipf, que descreve como a frequência de uma inovação está relacionada à sua popularidade. Essas leis, no entanto, são empíricas, ou seja, conseguimos detectar padrões porque podemos medi-los, mas o motivo pelo qual os padrões assumem sua forma não é claro. Loreto e seus colegas, dos quais um é o matemático Steven Strogatz, da Universidade de Cornell, desenvolveram um modelo que permite ler esses padrões pela primeira vez partindo de uma conhecida caixa matemática chamada Urna de Pólya, que é na verdade um modelo estatístico.

Em um mundo em que tantas indústrias, tecnologias e sistemas sociais estão mudando muito rápido, é bastante necessário compreender a inovação como uma ciência; a leitura de dados e a alta tecnologia que agora permeiam todos os processos abrem inúmeras possibilidades, como proposto por Loreto.

As desestabilidades provocadas no sistema econômico causadas, por exemplo, pela tecnologia do *blockchain* ocasionaram uma cascata de mudanças que afetaram diretamente não apenas o mercado financeiro, mas vários outros também. Portanto, a predição e o entendimento do sistema de inovação são cruciais, por levar em conta fórmulas para considerar os futuros cenários. O conceito de *blockchain* passa a ser muito importante em um cenário de inovação. A Porsche estava sofrendo com problema de falsificação de seu carro inteiro na China, mas com o *blockchain* com o qual todo carro da Porsche sai de fábrica isso foi evitado. A criação das criptomoedas veio para resolver novos problemas que antes não existiam, mas ao mesmo tempo criou novas questões nas quais não se havia pensado, e que poderiam impactar o mundo.

Para entendermos melhor como a tecnologia pode ser benéfica, e não apenas geradora de consequências não previstas ou esperadas no dia a dia, precisamos nos ater aos nossos problemas atuais, como a corrupção e a pobreza, por exemplo, e pensar em qual será seu papel para melhorar essa situação.

A INFORMAÇÃO, O CONHECIMENTO, A VERDADE E A MENTIRA

Com o mundo on-line, com as mídias sociais e toda a tecnologia que permite troca de mensagens instantâneas, hoje a comunicação e a transmissão de informações em larga escala, de baixo custo e com grande rapidez, são compreendidas como necessidades vitais, tanto para pessoas físicas quanto para as organizações. Os canais de comunicação disponíveis hoje pela internet são tão fundamentais e poderosos que "influenciador" se tornou uma atividade remunerada e valorizada, sendo decisiva para o êxito de muitas marcas, empresas, produtos e serviços, transformando até os antigos paradigmas da publicidade, do marketing e da propaganda.

O valor da reputação digital de pessoas e empresas hoje é tão grande que assumiu um papel diferente do que tinha anteriormente, passando a ser fator decisivo em todas as relações que podem ser estabelecidas, de venda de produtos a gerenciamento de crise, de fator de segurança a eleição de presidentes de países. As novas tecnologias impulsionam uma nova forma de produção e criação de valor, e o aumento da interconectividade global coloca a diversidade e a adaptabilidade no centro das operações tradicionais. As tecnologias e a comunicação oferecem possibilidades ilimitadas no âmbito social, especialmente levando em consideração as organizações. Vivemos em um mundo interdependente, ou seja, uma realidade em que a informação é sinônimo de existência e evolução, além de ser um pilar essencial da vida social e individual.

A intensificação do processo de comunicação, bem como do de fabricação de informação, é uma consequência direta do progresso da tecnologia neste momento em que já percebemos que o conhecimento e a disseminação de informações são fatores básicos para nos desenvolvermos como civilização. Atingimos o patamar de sociedade do conhecimento, e é interessante entender quão rápido essa mudança aconteceu. Nessa transição para a sociedade do conhecimento, fatores como educação, criatividade e competência passam a ser cruciais para o desenvolvimento profissional, de modo que se tornaram características inerentes às pessoas. Os indivíduos passam a ter uma necessidade constante de estar em aprendizado para se adaptar às novas condições.

O fato de a informação estar disponível não implica que estar informado seja suficiente. Informação é uma coisa, conhecimento é outra. O conhecimento passa a ser a moeda de troca na sociedade e se tornou necessário para todas as áreas, influenciando a maneira como consumimos conteúdo e aprendemos, mudando as necessidades contemporâneas. Mas informação não pressupõe conhecimento, e ela pode não ser necessariamente verdadeira. Por isso, ao mesmo tempo que temos tanta evolução no âmbito tecnológico-informacional, com a disponibilidade de canais de comunicação, há um descompasso entre todo o acesso ao conhecimento e como a sociedade tem se comportado. E não é à toa que parece que vivemos em uma sociedade idiotizada, que é constantemente alimentada por esse fluxo de informações descoordenadas e falsas, que geram comportamentos bizarros e estimulam a polarização de posicionamentos e discursos.

Temos uma sociedade com valores corrompidos, com pessoas que ainda não enxergam bem o futuro à sua frente e por isso se tornam resistentes às transformações que temos enfrentado. A humanidade vem provocando inúmeras catástrofes irreversíveis no ecossistema, considerando aqui não apenas o viés ambiental, mas também toda a articulação da vida em sociedade. A necessidade de crescimento econômico desenfreado ultrapassa as necessidades básicas que oferecem qualidade de vida ao ser humano, o que faz com que o sentido primário da sobrevivência se perca, dando abertura apenas para aquele construído pelo sistema capitalista, que novamente deixa de levar em conta um futuro funcional para priorizar os desejos momentâneos, que se resumem na prosperidade econômica imediata, sem perceber que há uma necessidade de compreender como isso vai impactar nossa existência por um período maior.

Pressupor crescimento econômico eterno em um lugar onde tanto o espaço quanto os recursos são limitados é um absurdo por si só. As tentativas de compensar os desequilíbrios que criamos são apenas pequenas amostras de como nossas iniciativas são insuficientes para trazer respostas realmente efetivas para nossas urgências. Além de termos sistemas falhos em inúmeros sentidos, é necessário também entender como essas complexidades são definidas de uma maneira, mas funcionam de outra, reverberando uma lógica ilusória no sentido de que não temos, por exemplo, um mercado de livre concorrência, e é uma ingenuidade olharmos para nossa realidade a partir de conceitos preestabelecidos.

INFODEMIA, A PANDEMIA DE NOTÍCIAS FALSAS

O uso de informações falsas e mentiras para os mais diversos fins, principalmente políticos, não é uma coisa recente. Desde a Antiguidade, verdade e mentira se misturaram inúmeras vezes, e isso já influenciou muito o destino dos acontecimentos e da humanidade como um todo. O historiador francês Paul Veyne escreveu em *Os gregos acreditavam em seus mitos?*: "Os homens não encontram a verdade, a constroem, como constroem sua história".

Existe um texto – veja só – de 1921 (!), chamado *Réflexions d'Un Historien Sur les Fausses Nouvelles de la Guerre* (Reflexões de um historiador sobre as notícias falsas da guerra, em tradução livre), escrito pelo historiador Marc Bloch. Ele esteve nas trincheiras da Primeira Guerra Mundial e voltou chocado com a importância que as notícias falsas tinham no *front*. Assassinado pelos nazistas em 1944, ele escreveu em sua obra: "As notícias falsas mobilizaram as massas. As notícias falsas, em todas as suas formas, encheram a vida da humanidade. Como nascem? De que elementos extraem sua substância? Como se propagam e crescem?". Em outro trecho, diz:

> Um erro só se propaga e se amplifica, só ganha vida com uma condição: encontrar um caldo de cultivo favorável na sociedade onde se expande. Nele, de forma inconsciente, os homens expressam seus preconceitos, seus ódios, seus temores, todas as suas emoções.

Parece que está se referindo aos dias atuais? Sim, mas escreveu há mais de cem anos.

São inúmeros os exemplos ao longo da história. Na Roma antiga, os poderosos sabiam bem da importância da informação e não hesitavam em "adaptá-la" às suas necessidades políticas, sem se ater à realidade.

"Em Roma, as notícias se transmitiam fundamentalmente através das imagens", explica o pesquisador Néstor F. Marqués, autor de *Un Año en la Antigua Roma: La Vida Cotidiana de los Romanos a Través de su Calendario*:

> Nem todo mundo sabia ler ou escrever no Império Romano, por isso a informação visual era muito importante. A forma mais rápida de difundir a chegada de um novo imperador era cunhar moedas com sua face. O imperador Septímio Severo, nascido em Leptis Magna e que nada tinha a ver com seu antecessor, o malogrado Cômodo, para legitimar seu poder decidiu espalhar a ideia de que ele próprio era o irmão perdido de Cômodo, filho ilegítimo de Marco Aurélio, e por isso a pessoa mais adequada para ocupar o cargo. Nas primeiras moedas que cunhou, se fez retratar com traços muito parecidos com os de Marco Aurélio.

Na Idade Média as notícias se propagavam com surpreendente eficácia, embora as condições materiais não acompanhassem o movimento informativo. Claude Gauvard, professora emérita da Sorbonne, investigou as formas de transmissão de informação nesse período: "Um cavalo podia percorrer trinta quilômetros por dia, mas o tempo que se levava para transmitir uma informação podia se acelerar dependendo do interesse da notícia", conta por e-mail. As ordens mendicantes tinham um papel importante na disseminação de informações, assim como os jograis, os peregrinos e os vagabundos, porque todos eles percorriam grandes distâncias. As cidades também tinham correios organizados e selos para lacrar mensagens e tentar certificar a veracidade das correspondências. Graças a tudo isso, a circulação de boatos era intensa e politicamente relevante, bem como muito utilizada. Histórias e lendas antissemitas, caças às bruxas e milhares de atos da Inquisição foram todos forjados em notícias falsas habilmente espalhadas entre a população para manipular a opinião pública.

Pelo menos três guerras recentes em que os Estados Unidos estiveram envolvidos foram iniciadas da mesma maneira, com base em mentiras espalhadas: a Guerra de Cuba (1898), com a manipulação dos jornais; a Guerra do Vietnã (1955-1975), com o incidente do golfo de Tonquim; e a invasão do Iraque (2003), com as inexistentes armas de destruição em massa de Saddam Hussein.

Bem, já que é evidente que as mentiras que se espalham e convencem as massas não surgiram com a internet e as redes sociais, elas ganham uma dimensão assustadora e muito, muito perigosa. Tanto que a OMS definiu o termo *infodemia* como uma superabundância de informações, algumas precisas e outras não, que dificultam às pessoas encontrarem fontes e orientação confiáveis quando precisam.

Com isso, o mundo virou de cabeça para baixo, para confundir e manipular os indivíduos com uma força e uma velocidade nunca vistas. Assim, a Terra é plana para milhões de pessoas, e não um orbe esférico como se sabe há milênios; Bill Gates se tornou o principal vilão dos teóricos da conspiração, sendo responsável pela criação do coronavírus, a ponto de ser ameaçado de morte; a teoria antivacinação, alegando que vacinas causam autismo, ganha milhões de pessoas, permitindo o retorno de doenças já erradicadas em vários locais, como sarampo; negacionistas de inúmeros fatos, desde a pandemia até corrupção no governo, defendem com unhas e dentes ideias que não são suas.

O Observatório da Internet de Stanford, que trabalha para combater esse tipo de informação incorreta, pesquisou que defensores das teorias da conspiração estão em todas as plataformas sociais, até no TikTok. Um dos objetivos desses conspiradores é ganhar um bom dinheiro com anúncios e venda de mercadorias. Porém, para além disso, vendedores de mentiras, fake news e lavagem cerebral de massa estão usando com sucesso técnicas que muitos influenciadores digitais usaram para se tornar famosos, e assim elegendo e reelegendo governantes déspotas, ocultando corrupção, manipulando os fatos, desacreditando a imprensa, a ciência, a educação e a cultura, para que prevaleça o que lhes interessa. A sociedade e a democracia correm riscos sérios. O documentário da Netflix chamado *O dilema das redes* mostra como tudo isso está tramado.

Na era do conhecimento global, vivemos a onda da paixão pela ignorância e pela pós-verdade. Em tempos de mudança de "novas mídias" para "mais mídias" e do exponencial narcisismo individual, quando muitos se sentem sobrecarregados pelo fluxo constante de informação e desinformação, um número gigantesco de pessoas está escolhendo não saber. É a batalha da economia do conhecimento *versus* a economia da ignorância.

FAKE NEWS E AS SOCIEDADES ARTIFICIAIS

Os principais pesquisadores da inteligência artificial a definem como "o estudo dos agentes inteligentes", no qual um agente inteligente é um sistema que percebe seu ambiente, tem capacidade de interpretar corretamente os dados que vêm desse ambiente, aprende a partir desses dados e utiliza essa aprendizagem para atingir objetivos e realizar tarefas específicas, tomando decisões que maximizem suas chances de sucesso.

Existe uma subárea da IA que trata da chamada Multiagente, ou Simulação Multiagente (SMA) (em inglês, *Multi Agent Artificial Intelligence* – MAAI –, ou Inteligência Artificial Multiagente). Em suma, é quando se considera não apenas um agente inteligente, mas vários. É como se houvesse vários núcleos tomando decisões, compondo um sistema complexo, à semelhança do que ocorre na vida real, em que vários indivíduos interagem e as decisões de uns interferem nas de outros.

Com isso, é possível realizar, com esse tipo de IA, simulações do que aconteceria em sistemas com vários indivíduos, como uma previsão de futuro, em experimentos radicais de comportamento social. É possível simular e prever, por exemplo, como seria o espalhamento de uma epidemia de um novo vírus; a reação de uma comunidade à entrada de refugiados ou imigrantes; a resposta de um grupo a uma nova lei; o comportamento de uma população a uma mudança climática ou falta de energia; ou coisas do gênero.

A MAAI é usada já há anos para criar sociedades digitais que imitam as reais, com resultados incrivelmente precisos. São as chamadas Sociedades Artificiais ou Sociedades Simuladas. E nesta época de *big data*, com inúmeras informações sobre nossos hábitos políticos, sociais, fiscais, de relacionamento, de compras, de deslocamento etc., que fornecemos todos os dias voluntária ou involuntariamente ao interagir na internet, a capacidade de prever o futuro desses sistemas melhora sensivelmente, cada vez mais.

A revista *New Scientist* publicou um artigo sobre a MAAI, dizendo:

> Em termos simples, uma Sociedade Artificial é apenas um modelo de computador semelhante àquele usado há décadas para entender sistemas dinâmicos complexos, como o clima. Os primeiros foram construídos por físicos e químicos na década de 1960, mas, à medida que os modelos aumentavam em complexidade, foram adotados por biólogos e, na última década, por cientistas sociais.

Tudo pode ser considerado: gênero, idade, crença religiosa, profissão, escolaridade, integração social, personalidade, hábitos sexuais... É como um espelho de nossa sociedade. Pode-se simular, por exemplo, três gerações para testar os resultados no longo prazo de novas políticas públicas.

Gostamos de acreditar que não somos previsíveis, mas isso simplesmente não é verdade. Foram necessárias apenas tecnologias mais sofisticadas para identificar nossos padrões, e a MAAI é a modelagem preditiva no seu grau mais avançado.

No entanto, existe um lado sombrio da MAAI, que é sua utilização "para o mal", como na manipulação de eleitores em votações presidenciais e em outras aplicações traiçoeiras, como o espalhamento de boatos e notícias falsas, as fake news, como de fato aconteceu nas eleições dos Estados Unidos e do Brasil e nas votações do Brexit. O escândalo da Cambridge Analytica mostrou como a IA foi usada por políticos sem nenhum pudor ou ética para induzir as pessoas a votarem em candidatos específicos, e como boatos podem derrubar ou arruinar reputações de indivíduos ou marcas muito rapidamente.

Se você acha que votar hoje significa estar em democracia, infelizmente é um ledo engano. Uma capa fabulosa da revista *The Economist* trazia a chamada "O inimigo está dentro da democracia", e o artigo dizia:

> Acreditava-se que as democracias morreriam no cano de uma arma, em golpes ou revoluções. Hoje em dia, porém, é mais provável que sejam estranguladas lentamente, e em nome do povo, com controle de tribunais, compra de mídia e manipulação das regras das eleições.

Moisés Naim, ex-diretor geral do Banco Mundial, ressaltou em um artigo: "O que há de comum entre a Coreia do Norte e Cuba? A resposta óbvia é que são ditaduras. A menos óbvia é que os dois países realizaram eleições". O resultado delas é que é altamente discutível.

A mesma *The Economist* pautou:

A bravura dos jovens que protestam nas ruas de Hong Kong e Moscou é uma demonstração poderosa do que muitos no Ocidente parecem ter esquecido. A democracia é preciosa, e aqueles que têm a sorte de herdar uma devem se esforçar para protegê-la.

O desenvolvimento tecnológico evidencia as diferenças de discurso. Aspectos como a liberdade de expressão e a mídia livre se transformam ao considerarmos o alcance que essas vertentes passam a ter quando as inserimos em um ambiente de reprodução sem limites como a internet. É interessante observar que as tecnologias da informação e a internet são instrumentos da democracia, ao passo que tornam possível coordenar ações em nível nacional, além de permitir que atos do governo sejam acompanhados mais de perto.

Ainda existem alguns agravantes a serem analisados nessa inserção dos governos no âmbito da internet: o acesso e a produção ilimitada de dados e informação causam certo estremecimento das estruturas, já que não há mais confiabilidade ao considerarmos a falta de regulação. A pergunta que fica é: seria possível alcançar alguma forma de controle que não pelo autoritarismo, como ocorre em países como a China?

A DEMOCRACIA EM DECLÍNIO

São inúmeras as transformações dos modelos vigentes provocadas pela tecnologia, que trazem discussões relevantes, como a predominância da inteligência artificial e o desemprego tecnológico, o fim do Estado-nação, o impacto na economia e nas interações. Mas também os modelos de sociedade e política estão sendo repensados como consequência disso tudo, pois precisamos analisar como podemos nos beneficiar dessas mudanças enquanto humanidade, para gerar mais justiça, fraternidade e bem comum diante da nova configuração de convivência. A pergunta que surge é: como fica, então, a democracia nesse panorama?

A democracia como sistema vigente esteve adormecida desde o século 5 a.C., ganhou força em 1787 com a Constituição do jovem país Estados Unidos da América e há mais de dois séculos determina as regras sob as quais vivemos. Contudo, as circunstâncias de sua criação são totalmente diferentes das que temos atualmente. Já vemos a insurgência de novas vozes que começam a provocar as bases do que parecia irrefutável. Se um dia o filósofo britânico John Locke imaginou um mundo sem monarcas, séculos depois Edward Snowden foi um visionário com seu tuíte: "Era impossível imaginar países sem reis. Chegará o momento em que eles olharão para trás e dirão o mesmo dos presidentes". É como também colocou Simon Schama, em *O poder da arte*: "Estamos em um momento de honrar o passado sem ser seu escravo", e isso significa "inventar o futuro sem se embriagar com ele".

Hoje estamos criando castas tecnológicas, separando aqueles que têm acesso a grandes tecnologias, já podem sequenciar seu DNA e viver mais de cem anos de outros que vão morrer de febre amarela por sua condição econômica, ou por incompetência, ingerência ou corrupção governamental de quem não tem um pensamento de gestão de futuro. Louis Brandeis e Bill Gates postularam: "Podemos ter democracia ou podemos ter riqueza concentrada nas mãos de uns poucos, mas não as duas coisas" e "O capitalismo sozinho não consegue atender as necessidades dos muito pobres". Isso é algo a se repensar nessa nova dinâmica de mundo; caso contrário, estaremos perpetuando nossos sistemas disfuncionais e mudando apenas as moedas.

Moisés Naim afirmou que o "poder está cada vez mais fraco, transitório e restrito. Ele está em degradação". É comum observar que o poder está passando daqueles que têm mais força bruta para os que têm mais conhecimento, e dos gigantes corporativos para as jovens startups. Atualmente, ele se tornou mais fácil de obter, mais difícil de gerir e mais fácil de perder, e tomou proporções totalmente inesperadas, deixando as salas de diretoria e indo para a internet. A luta pela capacidade de influenciar é tão intensa quanto antes, mas produz cada vez menos resultados, que são cada vez mais passageiros. A reestruturação do sistema tradicional de poder está relacionada a todas essas mudanças na economia global, na política, na demografia e nos fluxos migratórios dos quais estamos falando. A queda dessas barreiras está ocasionando mudanças e provocando instabilidade.

Apesar de já termos passado pela terceira onda da democratização há aproximadamente trinta anos, só agora é possível começar a avaliar como os países que adotaram esse sistema de governo instituíram uma nova cultura política. A qualidade do sistema democrático é definida pela habilidade dos países em responder a desafios tanto na atualidade quanto do futuro, e esses entraves são relativos a questões internas e externas, resultado direto do processo de globalização. Os níveis de sucesso de uma nação ainda são medidos por essas habilidades, além dos índices econômicos, que revelam a efetividade e a legitimidade do governo. A democracia, no entanto, existe de inúmeras formas diferentes, considerando não apenas a nação, mas também o formato como as instituições se estabelecem e a comunidade; por isso, para entender a progressão das democracias, pensamos aqui em um nível teórico, deixando as particularidades de lado.

A globalização maximizou os desafios da sociedade não apenas no âmbito social, mas também no econômico, tornando alguns processos mais complexos do que quando ocorriam em pequena escala. Os valores passam a se transformar, ao passo que as fronteiras geográficas não são mais um fator limitante. As demandas tornam-se mais urgentes, enquanto as nações têm um diálogo quase que universal, e questões como corrupção, nepotismo, desigualdades sociais e discrepâncias econômicas passam a ser pontos que permitem a avaliação da performance e da eficiência dos países com democracias liberais.

O processo de modernização teve importantes implicações no funcionamento das democracias. A manutenção dos sistemas democráticos vem de uma das ferramentas de base, a Constituição, que tem potencial único na manutenção da saúde da democracia. A fragmentação constitucional é sintomática, fruto de valor e definições do passado, o que nos mostra a constante necessidade de atualização. Isso é o que vemos acontecer hoje na África do Sul, que tem uma Constituição que reflete todo o colonialismo e a tradição anteriores.

De qualquer maneira, parece que o mundo está polarizado, fazendo cada vez mais os iguais se juntarem e os diferentes se repelirem. Nas empresas, contratam-se os diferentes, mas se promovem os iguais. Almoçamos todos os dias com quem pensa como nós. Nas mídias sociais, fechamo-nos em uma bolha, interagindo apenas com quem votou como nós na última eleição e compartilham das mesmas ideias. Por que há tanto radicalismo? Por que parece que a democracia não está dando certo? Por que chegamos a um mundo polarizado?

Existem fatores estressantes similares nos países em que se observa uma ruptura no sistema vigente. Historicamente, foi observado que, a partir do desenvolvimento de um ambiente polarizado, a democracia tende a se romper, e no período entreguerras foi diagnosticada uma dinâmica clara em que a polarização era fator crucial para o início de regimes autoritários.

Mesmo partindo de análises empíricas, os motivos que levam à formação dessa dicotomia política não são claros. Para entendermos melhor o conceito da polarização, podemos dizer que ele é relativo a um momento em que a multiplicidade normal de diferenças na sociedade se alinha cada vez mais em uma única dimensão, quando as diferenças transversais são reforçadas e as pessoas percebem cada vez mais e descrevem a política e a sociedade em grupamentos. É aqui que surge a ideia de "nós" contra "eles".

Se traçarmos uma comparação entre as situações de polarização na contemporaneidade, veremos uma série de fatores que se alinham e seguem certo padrão. A colisão entre grupos da sociedade como as elites e os marginalizados passa a ser mais evidente, e então novas formações sociais emergem e passam a se mobilizar para alcançar mudanças sociais, econômicas e políticas a seu favor. Nesse processo, surgem então o embate e a polarização de posições, como um esforço inconsciente de pessoas a se unir com intuito de enfraquecer aqueles que se opõem a suas ideias. Mesmo que toda essa formação seja involuntária e não exija uma estratégia, ela gera um ciclo que evidencia essa divisão formada.

O fator-chave para a polarização não é necessariamente o surgimento de um *gap* social ou ideológico, que se forma de acordo com o postulado pelas definições mais comuns. Essa é mais uma grande simplificação do sistema político-social, uma visão plana que pode trazer grandes danos à democracia, visto que, na realidade, ela pode ser o fator de propulsão da crise desse sistema político, bem como o resultado de problemas também de ordem governamental ou até uma maneira de aprofundar a discussão do que é o próprio sistema democrático, que etimologicamente já evidencia a necessidade de divergências entre os cidadãos.

A discussão sobre o fim da democracia existe no ambiente acadêmico há alguns anos, e não é de hoje que estudiosos apontam que tanto as democracias emergentes quanto as consideradas bem consolidadas, como a dos Estados Unidos, estão em risco. O desenvolvimento do fenômeno da polarização política é observado com o declínio do sistema democrático, e a análise que é feita é se há uma conexão entre a degradação da democracia e o despertar de pensamentos que tendem a extremos.

Outro aspecto relevante é se ultimamente estamos elegendo pessoas despreparadas, configurando uma verdadeira ineptocracia. Essa não é uma palavra que pode ser encontrada nos dicionários, mas tem sido constantemente utilizada como forma de descrever a natureza do processo eleitoral e sua lógica, ou falta dela. A palavra se refere a um sistema de governo em que os menos capazes de liderar são eleitos pelos menos capazes de produzir, e no qual os membros da sociedade com menos chance de se sustentar ou ser bem-sucedidos são recompensados com bens e serviços pagos pela riqueza confiscada de um número cada vez menor de produtores.

A total desilusão com os políticos "habituais" leva os cidadãos a elegerem pessoas que não estejam "contaminadas" com práticas corrompidas (e também corruptas) e ineficazes que os dirigentes de sempre apresentam, buscando alternativas entre cidadãos que tenham características que inspirem alguma mudança. Porém, isso abre um imenso espaço para os despreparados, os ineptos, os incompetentes e principalmente os novos demagogos e oportunistas, que têm mais um projeto pessoal de poder do que uma vontade real de mudar o sistema, como era o desejo daqueles que os elegeram.

Existe certo incômodo ao nos depararmos com esse conceito, mas há um grande descompasso entre ser um indivíduo produtivo ativo na sociedade e ter o perfil e a vontade de exercer um cargo público que possa fazer a diferença para uma sociedade. Pode parecer uma solução óbvia oferecer o cargo de administrador público a alguém que foi bem-sucedido em cargos privados, para que ele faça uma "simples" transformação do sistema. No entanto, esse processo não pode ser levado a cabo apenas por um indivíduo; ele é exercido por agremiações, partidos, e isso faz com que pessoas se reúnam em grupos com interesses semelhantes para "mudar o mundo".

O problema que há aqui é evidentemente o que discutimos em relação à formação de lados díspares. Existe a esperança de transformar o sistema em algo mais igualitário, mas ela não pode ser bem-sucedida sem entender que há um desequilíbrio entre pessoas que querem mudar alguns aspectos e as que não querem, ou seja, não há um meio democrático que estimule uma modificação proativa para o melhor a todos.

Em 1797, Alexander Fraser Tytler, intitulado Lorde Woodhouselee, advogado, juiz, escritor e historiador escocês, além de professor de História Universal e Antiguidades Gregas e Romanas na Universidade de Edimburgo, escreveu ostensivamente sobre como a república dos Estados Unidos deveria funcionar para poder ser considerada bem-sucedida. Segundo ele:

> Uma democracia é sempre temporária por causa de sua natureza; ela simplesmente não pode existir como uma forma permanente de governo. A maioria sempre irá votar em candidatos que prometem mais benefícios saídos do tesouro público, e como resultado toda democracia irá falhar em decorrência da perda do controle fiscal, que é sempre seguido por um sistema ditatorial...

O fim da democracia vem sendo previsto por diferentes frentes de pensamento. Quando consideramos a complexa possibilidade de resgatar esse sistema e revê-lo a partir de suas bases, nos deparamos com um dilema. Se fizermos democraticamente, enfrentaremos as mesmas incongruências geradas pelo sistema que estamos tentando restaurar. E fazer isso por meio de outro sistema que não seja o democrático seria uma piada de mau gosto.

O resultado que parece ser inevitável, então, é o fim do regime democrático. Mas isso pode ser interrompido? Como podemos reverter esse processo? Hoje historiadores sugerem que não é uma progressão fatal. A sugestão possível, ao analisarmos o desenvolvimento natural da democracia, é inferir algumas possibilidades, desde se manter nessa lógica até que a vida das pessoas chegue a um nível insustentável, passando por uma revolução que force o sistema a ser refeito ou uma transição para outro sistema que não esteja em declínio.

O problema maior aqui é aprender a não se apegar às soluções nas quais nos estabelecemos e entender como podemos nos transformar de modo a não deixar a sociedade entrar em colapso. Pensar no futuro a partir do agora funcionará se nos prepararmos para responder a esses dilemas.

A CORRUPÇÃO SISTÊMICA

No excelente livro *Capital, The Eruption of Delhi* (Capital, a erupção de Délhi, em tradução livre), o professor Rana Dasgupta relatou uma história que abriu imenso debate sobre um dos maiores problemas atuais ao redor do mundo: a corrupção.

Dasgupta conta que um médico indiano se mudou para Toronto, no Canadá. Ele tinha uma vida honesta e colaborativa, participava de obras filantrópicas, exercia trabalhos comunitários, era educado e pacato, a mais completa fotografia do cidadão perfeito. Porém, depois de um tempo, descobriu-se que parte considerável do seu dinheiro vinha da venda de órgãos de pessoas pobres que moravam no subúrbio de Délhi, a capital indiana.

Infelizmente, ao longo da história – e muito comumente na atualidade –, presenciamos a corrupção sistêmica em centenas de casos no mundo. Políticos chegam aos mais altos postos de seu país e se unem com o lado retrógrado e corrupto da nação. Falar em corrupção no Brasil, então, é quase um pleonasmo. Esse verdadeiro câncer da sociedade é tão conhecido pelos brasileiros que não é necessário nem explicar do que se trata nem como ocorre em todos os níveis, dos mais altos escalões do governo até as mais prosaicas relações pessoais.

Pensadores clássicos como Hobbes, Locke e Rousseau defendiam a ideia de sociedade dentro do conceito de contrato social. Tal contrato nos permite conviver civilizadamente, com justiça e liberdade. E os pensadores modernos, sociólogos e antropólogos afirmam que a corrupção quebra esse contrato e esgarça o tecido da sociedade, o que enfraquece a criação de oportunidades iguais para todos, a liberdade e o que conhecemos como democracia.

Muitas instituições mundiais, como o FMI e a OMC, pesquisam e provam que a corrupção cria um enorme fosso entre os países ricos, os em desenvolvimento e os mais pobres do globo. É muito claro que as nações não têm conseguido resolver esse problema sozinhas, sendo necessários esforços conjuntos de agências internacionais e, especialmente, de nações ocidentais. Reprimir fontes monetárias ilícitas e encerrar atividades de lavagem de dinheiro são caminhos de cooperação global e passos iniciais e fundamentais para combater esse mal. A grande luta global no século 21 precisa ser o extermínio desse cancro se quisermos que uma sociedade sadia sobreviva.

O SISTEMA EDUCACIONAL EM OBSOLESCÊNCIA

Se todas as áreas estão em franca modificação, existe uma delas – a mais crítica de todas – que precisa ser urgentemente revista: a educação. Numa época em que qualquer informação já produzida pela humanidade está ao alcance das mãos, a um toque de celular, milhões de escolas no mundo todo ainda fazem milhões de crianças decorarem a fórmula de Bhaskara, as capitais dos países e a tabela periódica dos elementos, confinando e enfileirando alunos em salas fechadas e concretadas, com aulas cronometradas, separadas por um sinal sonoro idêntico ao de uma fábrica, que marca o início e o final de um turno, obrigando a uniformização de roupas, resultados, notas e comportamento. Justamente na fase mais criativa e cheia de energia pela qual o ser humano passa, ele é obrigado a ficar parado, em silêncio, por horas, ouvindo passivamente aulas expositivas, com sua imaginação limitada, para depois responder exatamente ao que se espera. Será que estamos de fato ensinando e educando as futuras gerações para o mundo que elas herdarão?

A educação da forma como está concebida claramente já não cabe mais nos dias de hoje. Mas por que será que ainda estamos presos a essas bases de ensino e modelo de escola? Por que um tipo de educação nascida no século 2 em Marrakech, que foi massificada em Bolonha no século 14 e que ganhou força na Inglaterra com a Primeira Revolução Industrial, ao ser implantada para produzir operários em série e nos moldes de quartéis militares, ainda prevalece em pleno terceiro milênio da era cristã?

É triste constatar que o mundo ainda "educa" as pessoas em uma direção totalmente contrária à qual estamos indo, em um momento no qual o avanço busca o compartilhamento de ideais, a cocriação e a colaboração na construção, e principalmente a inovação e os cérebros pensantes. Mas a educação que existe ainda alimenta uma crença de que deve haver certo decoro em relação às mudanças, e que as transformações são situações que geram conflitos e problemas. Vivemos um momento em que o mercado se desenvolve, mas a educação ainda fabrica resignados, e, em decorrência disso, infelizmente ainda teremos uma geração que viverá de um modo muito difícil nas próximas décadas, em todo o mundo.

O fato é que o formato de educação global, também em nível superior, universitário, já está fabricando milhões de desempregados, pois, como vimos, o conhecimento se multiplica exponencialmente todos os dias. Quando um estudante se forma, tudo o que ele aprendeu já está tão obsoleto que o mercado de trabalho praticamente precisa ensinar os estagiários e recém-formados. Hoje um estudante de Engenharia Civil absorve uma grade curricular que não contempla o panorama atual dos avanços de engenharia, que já está falando em design biológico, em construção de prédios de cinquenta andares só de madeira em oito semanas, em casas e móveis feitos de blocos de Lego, em pontes de vidro, arranha-céus de 57 andares erguidos em dezenove dias e hospitais de mil leitos construídos em dez dias.

Estamos formando pessoas cada vez mais desatualizadas e que se distanciam da realidade e do mercado de trabalho. O emprego muda, as universidades permanecem como fábricas de desempregados. Se a tecnologia e o conhecimento têm evoluído com tanta rapidez, como é possível mantermos uma estrutura educacional tão burocrática, que não contempla imediatamente todas essas transformações? Por isso, pensar em novos modelos mais dinâmicos, e de certa forma acessíveis, para o processo educativo, independentemente da área em que ele for aplicado, é de extrema importância, e alguns países já começam a dar passos nessa direção.

Cingapura está mudando sua educação inteiramente para usar a inteligência artificial, autointitulando-se uma "AI Smart Nation", na qual há uma iniciativa integrada de pesquisa, inovação e comercialização para ancorar as profundas capacidades nacionais em inteligência artificial, criando impacto social e econômico, aumentando a oferta e absorção de talentos e um ecossistema local a fim de colocar o país no mapa mundial da inovação e educação de ponta. A Coreia do Sul seguiu o lema de que todos devem ter acesso à educação superior e ao trabalho. Quando acabou a Guerra das Coreias, a do Sul disse que, dessa maneira, "todos prosperarão. Alguns primeiro, mas todos prosperarão".

O declínio da educação tem causado sérios danos à sociedade em vários níveis, predominando a desvalorização do saber, a desinformação, a valorização da subcultura, a pseudociência, as falácias, teorias da conspiração e um distanciamento das pessoas de uma consciência crítica da realidade. Em um ambiente alimentado por essa falta de informação de qualidade, é difícil ir em direção ao desenvolvimento que pode ser alcançado com a tecnologia e os recursos disponíveis. Quando pensamos nas perspectivas de crescimento coletivo, considerar um panorama como esse no qual as pessoas têm sido educadas nos faz pensar em quanto é urgente modificar o sistema de educação de forma global e massiva.

CAPÍTULO 3

Forças que pulverizaram o mundo

Se quereis saber o que é a revolução,
chamai-lhe progresso, se quereis saber
o que é o progresso, chamai-lhe amanhã.

– Victor Hugo

Os sábios dizem que, quando escutamos algum barulho ensurdecedor de coisas grandes caindo, é sinal de que o velho mundo e seus antigos paradigmas estão desabando. Em uma sociedade ruidosa como a nossa, é mais que evidente que isso está acontecendo. Toda a avalanche transformadora sobre a qual estamos discutindo trouxe pequenas fendas para esses antigos conceitos, que agora se acumularam e estão fazendo as coisas se romperem e cederem. São como grandes blocos que se desprendem de geleiras causando um estrondo, porque a temperatura ficou alta demais, impedindo que as coisas permanecessem como estavam.

Nesses tempos de transformações exponenciais que acontecem simultaneamente no meio tecnológico, corporativo, pessoal, social e até demográfico, se quisermos encontrar novas soluções devemos compreender os fatores que provocam essas mudanças. O que precisamos entender é que a origem de toda modificação está, em geral, no poder de determinadas ideias que acompanham toda evolução de pensamento e estruturação da sociedade. Para compreender melhor como isso se dá, é preciso analisar o que chamamos de forças disruptivas.

AS FORÇAS DISRUPTIVAS

As forças disruptivas são os principais fatores por trás das mudanças de tudo: da economia, da nossa forma de trabalhar, da nossa forma de se relacionar, de entender o mundo e de viver. Na verdade, elas representam não o fator motivador das transformações, mas as transformações pontuais – as pequenas fraturas cumulativas – que causam as mudanças subsequentes.

Durante uma análise abrangente do cenário de trabalho global feita durante um ano, o Boston Consulting Group (BCG) identificou as principais forças disruptivas que estão revolucionando a maneira como o trabalho é realizado nas empresas e obrigando os líderes a repensar até as suposições mais básicas sobre como suas organizações funcionam. Vou descrever aqui um pouco dessas principais forças, para entendermos melhor a causa da pulverização da realidade em que nos encontramos.

- **Inovação radical:** a primeira das forças disruptivas da realidade anteriormente vigente é a inovação radical, hoje o principal fator das mudanças socioeconômicas, que promove produtividade, competitividade e desenvolvimento econômico e afeta a questão dos empregos. Embora a inovação radical seja um dos processos mais importantes, ela não explica tudo, claro, mas traz, no entanto, a necessidade de adaptação imediata.

- **Inteligência artificial:** a inteligência artificial é um importante pilar disruptivo, sobre o qual já falamos bastante. Ela abre margem para o desenvolvimento de um novo tipo de indústria, e as empresas que não tiverem propostas para se manter atualizadas conforme o mercado muda perderão seus clientes. Ela sinaliza que há uma mudança sem precedentes que não permite uma escolha, ou seja, ou você está alinhado com as novas propostas tecnológicas que promovem experiências totalmente transformadas, ou você não existirá mais no mercado.
- **Automação:** apesar de as empresas se automatizarem já há muito tempo, a inteligência artificial e a robótica obrigam pessoas a trabalharem com máquinas, e também criam substitutos para trabalhadores humanos. À medida que máquinas e computadores ocupam o local de trabalho, os seres humanos precisam se adaptar e as empresas precisam desenvolver talentos em áreas como análise de dados, desenvolvimento de aplicativos e design de experiência do usuário. As organizações e os trabalhadores precisarão investir em programas maciços e contínuos de desenvolvimento de habilidades, os executivos precisarão liderar no mundo digital, mesmo que as pessoas com as melhores habilidades digitais geralmente sejam mais jovens que os líderes.
- **Economia da IA e análise preditiva avançada:** com a explosão na quantidade de informações disponíveis em todo o mundo e a análise preditiva avançada de dados, é possível melhorar a previsão de cenários e a tomada de decisões. Os estudos de análise preditiva surgiram com intuito de impedir que os processos dessem errado, ou seja, é necessário que o estudo das variáveis que compõem os pilares da economia funcione a fim de que o resultado das manobras econômicas seja positivo. Em um mundo que hoje se baseia cada vez mais na coleta e análise de dados

a partir de pessoas e sensores, a análise preditiva fornece ferramentas essenciais para que as empresas e os indivíduos possam se orientar de acordo com seus objetivos; por meio da previsão, é possível mapear o que está prestes a acontecer para que se possa responder adequadamente. O uso de *big data* aperfeiçoa o conceito de cidades inteligentes, o marketing, os insights de mídia social, a produtividade e as operações em geral, podendo reduzir custos e aumentar ganhos, além de melhorar o gerenciamento de funcionários e a dinâmica das equipes.

- **Sociedade compartilhada e economia circular:** a capacidade de extrair informações e ideias de qualquer pessoa ou coisa, em qualquer lugar, com a internet das coisas[1], multiplica-se à medida que o custo da tecnologia cai. A computação e o armazenamento em nuvem reduzem custos de acesso e processamento, permitindo mais acesso e trabalho remoto, incrementando a economia do compartilhamento e as soluções desenvolvidas por pessoas em todo o mundo em comunidades on-line, com equipes temporárias e virtuais, o que obriga os líderes a se adaptarem a modelos entre funcionários e contratados e a como se envolvem com o talento e realizam o trabalho.
- **Indústria 4.0:** as forças disruptivas estão, de certo modo, todas alinhadas. A Indústria 4.0 é uma das motivadoras da transformação. Nos últimos 250 anos, as revoluções industriais foram diretamente responsáveis pela maneira como criamos valor e mudamos o mundo; em cada fase, sistemas políticos e instituições sociais evoluíram mudando não apenas as indústrias, mas também o modo como as pessoas se veem e se relacionam.

---

1. Internet of Things (IoT) é um conceito que se refere à interconexão digital de objetos cotidianos com a internet; conexão dos objetos mais do que das pessoas. (N.P.)

- **Fim das fronteiras:** os novos centros de poder prenunciam mais um pilar transformador: o fim das fronteiras. Aqui não pensamos apenas nas fronteiras entre países, mas entre os mundos digital e físico, levando em conta que hoje já vivemos em uma realidade totalmente diferente. O surgimento de novos centros de poder revela as grandes transformações no cenário internacional. As mudanças vêm com as transformações na política interna dos países, bem como por eventos mundiais que atualmente ocorrem em alta velocidade. As fontes primordiais de poder econômico mundial da atualidade evidenciam o deslocamento geopolítico da riqueza global e, consequentemente, das relações internacionais contemporâneas.
- **Mudança de poder geopolítico e econômico:** há trabalhadores dispostos a atravessar fronteiras e culturas para melhorar suas perspectivas de carreira, mas vários desenvolvimentos geográficos, econômicos e políticos estão bloqueando o fluxo de talentos para áreas de demanda, o que aumenta a escassez geral de pessoas qualificadas. Essa tendência está forçando as empresas globais a deslocar suas operações ou encontrar talentos em outros lugares, mesmo em mercados nos quais não há interesse. A disparidade de renda também está aumentando, especialmente nas regiões desenvolvidas e em rápido desenvolvimento. Hoje 1% da população global possui 48% da riqueza, e se projeta 54% até 2026. Como resultado, há um aumento da migração de trabalhadores das áreas mais pobres e rurais para as mais ricas e urbanas. O mais preocupante é que mais pessoas estão sendo deixadas para trás na área da educação, incapazes de pagar pelos estudos. As grandes organizações podem resolver esses problemas criando equipes e mecanismos virtuais para colaboração entre regiões.

- **Simplicidade na complexidade:** as organizações tendem a responder a novos desafios diminuindo equipes, funções e departamentos, mas tornando sua estrutura mais complexa, com interdependências entre funções, muito mais partes interessadas, direitos de decisão, processos e políticas que dificultam ações e trazem mais custos, inovação e atingimento de metas. As organizações devem aprender a gerenciar a complexidade entendendo comportamentos desejados dos funcionários e remodelando o contexto de trabalho.
- **Pensamento sistêmico:** o pensamento sistêmico é fundamental para abordar a realidade complexa em uma perspectiva holística, observando o todo e o modo como as partes interdependentes interagem; em outras palavras, compreender a dinâmica de funcionamento de sistemas complexos dinâmicos. A crescente preocupação com a adoção de uma visão holística, que compreende não apenas os objetivos unicamente de desenvolvimento tecnológico e econômico, mas considera todo o ambiente, nos leva a outra força disruptiva de grande importância.
- **Novas estratégias de clientes:** os limites entre empresas e consumidores estão diminuindo, pois as pessoas estão informadas e mais exigentes e conscientes. Elas querem ofertas personalizadas e colaboram com as empresas para ter os produtos e serviços que desejam. Os indivíduos também querem ver um comportamento social e ambientalmente responsável das empresas, que precisarão adotar uma abordagem nova para envolver clientes e evoluir suas propostas de valor para ficar à frente da concorrência. O novo consumidor é de fato um ponto decisivo na mudança do modo de produção de inúmeras indústrias, que precisam se adaptar a novas preocupações, como testes em animais ou uso de produtos nocivos ao meio ambiente; dinâ-

micas que antes não eram questionadas passam a demandar revisão e, mesmo que pareçam simples ou pequenas, têm impacto altíssimo na indústria como um todo, podendo alterar cadeias produtivas por inteiro.

- **Abordagem antropocêntrica:** estamos adotando cada vez mais uma abordagem antropocêntrica, como acontecia no Iluminismo do século 17, que trazia as necessidades humanas como primordiais. Ao colocar o ser humano como fator de grande importância na equação, reacendemos determinadas questões a serem consideradas, como a da transformação das experiências e produtos oferecidos pelas marcas, que passam a se atentar para outras vertentes. Os produtos precisam oferecer a impressão de que foram feitos sob medida para o consumidor, *fatto a mano*, como dizem os italianos. O discurso do desenvolvimento tecnológico caminha lado a lado com as experiências únicas, personalizadas, desenvolvidas para cada um, ao mesmo tempo que as produções se tornam aparentemente mais generalizadas, no sentido de serem feitas em larga escala, enquanto há uma valorização do indivíduo. Quando produtos e experiências se tornam pessoais, as pessoas se envolvem mais com eles, já que se tornam *assets* mais interessantes.
- **Individualismo e empreendedorismo:** a independência está se tornando o maior motivador para muitos trabalhadores, principalmente *millennials* e geração Z. Os mais jovens tendem a se cansar de fazer o mesmo tipo de trabalho por longos períodos e estão interessados em carreiras independentes. Fortalecidos por plataformas digitais, muitos optam por empreendedorismo e autonomia em vez dos tradicionais empregos CLT. Entre os que ainda preferem carteira assinada, muitos desejam experimentar novas ideias, fazer pausas na carreira e até traba-

lhar meio período como voluntários em áreas diferentes. As empresas terão que se conformar com um nível mais baixo de comprometimento e precisarão ter planos de carreira para os talentos que trabalharão assim. Os líderes terão que se adaptar ao ambiente individualizado, encontrando novas maneiras de inspirar as equipes dispersas.

- **Agilidade nos processos:** várias abordagens inovadoras que começaram no desenvolvimento de *software* agora são adaptadas pelas organizações para produtos e processos, como ágil, *scrum*, *kanban*, *design thinking*, *mathematical thinking* e outras. Isso exige que as organizações se tornem mais fluidas e criem espaços para experimentação rápida, teste de novas ideias e uma cultura de inovação.
- **Uma nova mistura demográfica:** a população mundial está envelhecendo, com taxas de natalidade caindo. Até 2035, uma em cada cinco pessoas no mundo terá 65 anos ou mais, projetando uma crise global da força de trabalho nos próximos anos, o que afetará quase todas as grandes empresas multinacionais. Ao mesmo tempo, em alguns mercados emergentes, o número de jovens ainda está aumentando, mas muitos não têm as habilidades que os fazem empregáveis. Essas mudanças obrigarão as empresas a encontrar novas maneiras de atrair, reter e desenvolver talentos em locais e faixas etárias, bem como facilitar a transferência do conhecimento profundo dos mais velhos para as próximas gerações.
- **Desequilíbrios de habilidades:** as habilidades exigidas no mercado de trabalho estão evoluindo muito rápido. Mesmo que a automação gere um excedente de mão de obra não qualificada ou semiqualificada, ela cria uma enorme demanda por talentos digitais qualificados, fazendo as corporações buscarem soluções

de qualificação, como incubar talentos. Os programas projetados para o domínio acadêmico são cada vez mais ineficazes na construção das habilidades necessárias no ambiente de trabalho moderno, e muitas empresas estão recorrendo a organizações como Udacity, Udemy, edX e Coursera, que permitem que as pessoas tenham treinamento enquanto trabalham.

- **Diversidade e inclusão:** à medida que os valores mudam, a diversidade e a inclusão se tornam mais necessárias. Estudos mostram que equipes com diversidade têm muito mais chances de promover o envolvimento dos funcionários e melhorar o desempenho dos negócios. Algumas empresas usam tecnologia para ajudá-las com isso, evitando vieses de recrutamento, por exemplo.
- **Bem-estar e propósito:** os *millennials* e a geração Z buscam mais que uma boa remuneração: querem também bem-estar e propósito, com uma carreira com impacto social. Oferecer horários flexíveis, investir na saúde dos funcionários, melhorar a qualidade do ar interno, fornecer móveis ergonômicos e alimentos saudáveis são iniciativas importantes agora. As empresas precisam oferecer oportunidades alinhadas com os valores pessoais de seus funcionários, sua saúde física e mental. No futuro, as organizações serão julgadas não apenas pela qualidade e pelo preço de seus produtos, mas também por quem elas são em relação a seus clientes, funcionários e sociedade como um todo.

CAPÍTULO 4

Composição, e não contraposição

Não há nada como o sonho para criar o futuro.
Utopia hoje, carne e osso amanhã.
– VICTOR HUGO

Como estudioso do futuro, entendo que o ritmo de transformações e as rupturas dos modelos atuais sejam assustadores, mas nos agarrar ao passado por medo do futuro não é bem o caminho que trará uma solução; pelo contrário, devemos aprender e, mais importante que tudo, nos adaptar. Nossa missão não é frear as mudanças, e sim nos transformar com elas, afinal, somos os agentes catalisadores de todas as descobertas e devemos nos impulsionar como sociedade para estar nivelados com toda essa evolução. Estamos em uma era de reconhecer o poder das ideias.

Se as estruturas estão desestabilizadas, se nada mais é como antes e o que funcionava não funciona mais, se estamos em uma época de transição, com mais dúvidas que certezas, e se processos de mudança causam medo e insegurança, deixando-nos confusos sobre o que fazer, com opiniões opostas e polarizadas sobre o que é certo e errado, qual seria a melhor postura? Qual seria a solução nesse momento em que tudo parece contraditório e nos encontramos em uma encruzilhada de difícil decisão?

Em primeiro lugar, é preciso considerar que o medo das mudanças não deve nos afastar do que é novo, e que esse receio, na verdade, só permanecerá para quem não se prepara para elas. Em segundo lugar, como um tecno-otimista, vejo que é exatamente da união de ideias opostas, do debate de conceitos aparentemente contraditórios e da consideração do que é diferente que vai nascer uma nova realidade. É pela composição, e não pela contraposição, que chegaremos a um estado renovado de coisas, que nos levarão a um degrau mais adequado para o mundo. Abracemos, então, as mudanças, aceitando-as com as boas novas, e nos adaptemos a elas.

Essa postura deve começar no âmbito pessoal. Quando falamos sobre profissões e o profissional do futuro, vemos que a perspectiva é ser uma pessoa completa, que sabe lidar com várias vertentes do conhecimento, o que é crucial não apenas para ser bem-sucedido, mas também para conviver no mundo de maneira plena e conseguir lidar com o que vai se apresentando.

Quando falamos que o profissional do futuro deve estar atento à leitura de dados e ao processamento de informações, bem como ao entendimento da tecnologia, é justamente considerando todo o panorama de transformação radical que o mercado vem sofrendo em decorrência da evolução da tecnologia. Todas as preocupações básicas relativas à perda de empregos e à substituição dos humanos por máquinas só existem se deixarmos de lado o nosso lado humano, que é a parte responsável pela criação. Genuinamente, as máquinas são capacitadas para executar comandos, mas a inteligência artificial ainda não desenvolveu sensibilidade, e é aí que nós, seres humanos, ganhamos delas.

O caminho a ser trilhado daqui para a frente exige as dosagens certas de cada vertente. Os pilares da sociedade não podem ser desiguais, por isso a colaboração é uma característica do trabalho não apenas entre humanos, mas também de humanos com máquinas, e entender toda as possibilidades que a automação nos oferece é o que nos permite um desenvolvimento cada vez maior, perdendo o medo de não ter espaço no mercado de trabalho e assim construindo novas habilidades, não importa em que ponto da carreira estejamos.

Estamos vagarosamente descobrindo os benefícios e possibilidades de um mundo multidimensional. Em 2017, enquanto os pragmáticos discutiam se os robôs roubariam o emprego dos seres humanos, assistimos a uma linda colaboração entre um robô e o tenor Andrea Bocelli em sua orquestra no 1º Festival Internacional de Robótica em Pisa, na Itália, que mostrou como o resultado é surpreendente quando homem e máquina trabalham juntos.

Esse e outros inúmeros exemplos mostram que entender de dados é um caminho importante, mas a capacidade de interpretá-los para propor novas soluções é o que realmente conta. Na corrida da tecnologia, os humanos podem perder em execução para as máquinas, mas não perderão em capacidade criativa, e é nisso que precisamos focar para atingir nosso maior potencial.

NOVOS EMPREGOS

É interessante pensar que esse receio com relação às máquinas e ao trabalho não é de hoje. Na década de 1930, imaginava-se que os robôs iriam acabar com os empregos nas fábricas norte-americanas, e sempre houve esse olhar apocalíptico sobre a automação dos processos. No entanto, a partir de 1960, começou-se a ver isso com diferentes olhos, e as pessoas passaram a entender que o trabalho humano seria de fato deslocado para outro campo.

No curso da modernização dos processos, houve turbulências no mercado, sim, que ocasionaram realocações de mão de obra, mas, como o economista Keynes previu, a inserção de máquinas criou mais empregos do que destruiu. Ele observou que o desemprego tecnológico era um problema autossolucionável, pois ao mesmo tempo que as novas tecnologias destroem antigos empregos também criam novos, então há certo equilíbrio. Essa turbulência da queda de empregos não se diferencia do que aconteceu no passado. Em 1965, por exemplo, o governo federal dos Estados Unidos informou que a automação eliminava 35 mil postos de trabalho por semana, mas, alguns anos depois, ficou evidente que novas vagas surgiram para contrabalançar essas perdas.

Assim, nem as previsões de 1930 nem as de 1960 se concretizaram, e, no ambiente pós-guerra, o desemprego diminuiu significativamente, saindo de 25% em 1933 para menos de 2% em 1944. A criação de novos postos de trabalho por meio da inovação e dos negócios empresariais é, assim, inevitável, e a colaboração entre pessoas e inteligências artificiais promete aumentar consideravelmente os níveis de produtividade e estender o alcance do que hoje é possível. Um consultor do Federal Reserve diz que, para cada vaga de emprego fechada pela ruptura digital, em média são abertos quase 2,6 novos postos. A escola europeia diz que, quando uma economia se torna inovadora, ela aumenta em seis vezes.

É muito fácil ver os empregos que estão em risco em decorrência de tecnologias emergentes: os que exigem capacidade mediana e, principalmente, operacional, que tendem a desaparecer por serem substituídos pelas máquinas. Mas algumas profissões estão, de fato, sendo criadas, e o profissional que se manterá no mercado no século 21 será aquele que tiver as características que são hoje de suma importância para seu destaque diante da revolução tecnológica.

Há um caminho para as pessoas se renovarem, avançarem e se ajustarem, mas elas precisam se atualizar, cultivando principalmente uma habilidade requerida para o século 21, da qual muitas vezes nos esquecemos: a curiosidade, que tem sua base na criatividade. Com o passar do tempo e com as urgências e os afazeres do dia a dia, os profissionais acabam deixando de fazer o que deve ser feito, e abrem mão de cultivar a criatividade e a curiosidade. Deixam de ler bons livros, de estudar ao longo de toda a vida e de aprender algo novo todos os dias.

A difusão das tecnologias da informação trouxe novas demandas, surgindo o que Drucker chamou de "trabalhadores do conhecimento", o que fomentou a atual economia de serviços. Paul Saffo, professor de Foresight da Universidade de Stanford, que dirige a cadeira de Estudos Futuros e Previsão na Singularity University, chama a atenção para como os robôs extravagantes da nossa imaginação, aqueles da ficção científica, de fato nunca chegaram. Da mesma maneira como aconteceu anteriormente, agora novos trabalhos surgirão, e enquanto antigos cargos passam a ser ocupados por máquinas, novos postos são criados, exigindo níveis cada vez maiores de habilidade. É necessário pensarmos em gerir essa transição compreendendo que cada nova escassez gera uma nova abundância, e isso movimenta a economia.

A chegada dos computadores fez o acesso à informação ser democratizado, o que abriu oportunidades para os trabalhadores do conhecimento, colocando em ascensão uma economia que é fomentada com os trabalhadores de serviços. O que acontece no cenário atual é uma perda imediata de determinados empregos, o que se torna alarmante por ser visível; porém, as novas categorias de trabalho já estão se formando apesar de ainda estarem em desenvolvimento, fazendo com que não sejam tão reconhecidas.

Saffo diz também que o drama dos empregos perdidos é inevitável, mas também ressalta como esse ciclo tem se repetido ao longo da história. Assim como ocorreu com os operadores de elevadores na década de 1950, com os telefonistas nos anos 1960 e com os estivadores nos anos 1970, acontece com os motoristas de caminhões que enfrentam a concorrência dos robôs hoje.

Ao pensarmos toda essa questão da empregabilidade, é necessário avaliar que os trabalhos que temos hoje não conversam mais com o futuro que estamos construindo; manter essas funções por medo do desemprego não é uma medida que soluciona os problemas que enfrentamos agora. Analise: se a população global está em constante crescimento, o fato de não extinguirmos determinados empregos não colocará automaticamente as pessoas que estão desempregadas para trabalhar. É preciso que pensemos à frente, pois o trabalho não vai desaparecer, como já vimos no passado; ele apenas está em constante transformação, se realocando e adaptando sua natureza.

A amplitude das mudanças torna tudo mais desesperador se não nos organizarmos para enfrentá-las. Quando há previsões tão catastróficas sobre nossa realidade, o movimento instintivo é tentar evitar que tudo isso aconteça; mas, se não nos preparamos, aí sim entraremos em situações de colapso. A questão aqui é que temos as previsões e o tempo a nosso favor, e devemos usá-los sabiamente para manejar as transições pelas quais teremos que passar.

A sociedade do acesso ilimitado aos dados trará transformações indiscutíveis para o mundo do trabalho nas próximas décadas, mas, como Paul Saffo afirma, o apocalipse é improvável. As mudanças acontecerão como vimos no passado, apesar de o panorama ser bem diferente, e é preciso administrar o processo. Ao pensar, então, nos riscos e benefícios da tecnologia, especialmente as que estão hoje em ascensão, como a computação quântica, é preciso entender que nós, humanos, temos o poder de decisão e organização sobre como isso nos impactará, e devemos trabalhar para que essas aplicações sejam positivas para a dinâmica da sociedade.

Pessoalmente, vejo esse desenvolvimento tecnológico como uma coisa positiva, já que nossa capacidade de uso dessas tecnologias é o que vai definir como enfrentaremos grandes desafios da humanidade. A forma como utilizaremos a inteligência artificial, a robótica, a biologia sintética, a nanotecnologia etc. permitirá que as áreas de educação, energia, meio ambiente, alimentação, saúde, prosperidade, segurança, governança, entre outras, sejam reestruturadas e os maiores conflitos sejam resolvidos.

É claro, no entanto, que todas as tecnologias apresentam riscos, e essas em especial têm perfis de risco maiores e diferentes. Os cronogramas de avanço tecnológico mostram uma tendência de aceleração; em virtude disso, devemos nos preparar tanto para enfrentar os benefícios quanto para avaliar os riscos potenciais da inserção dessas tecnologias no nosso cotidiano, nos permitindo ter um tempo de resposta rápido a essas iniciativas, para reduzir a probabilidade de eventuais problemas. Pensando nisso, pesquisadores de campos como o da inteligência artificial postulam prioridades de pesquisa e especificações necessárias para o desenvolvimento de estudos nessas áreas, de modo que toda progressão esteja em conformidade com o que se almeja, garantindo que a evolução dos estudos seja a mais previsível possível e permitindo que esse sistema seja controlado antes que exista efetivamente, para minimizar efeitos indesejados.

Para além de toda a ameaça do desemprego tecnológico, o fato é que não faltarão chances para quem souber entender onde estão as oportunidades nesse novo cenário. Há mais abundância do que escassez, e quem aponta isso são Erik Brynjolfsson e Andrew McAfee, professores e pesquisadores do MIT. No livro *Race Against the Machine* (Corrida contra as máquinas, em tradução livre), eles dizem que a inovação tecnológica destrói os empregos mais rapidamente que os cria, mas a verdade é que tecnologias digitais avançadas estão tornando as pessoas mais inovadoras, produtivas e mais ricas, tanto no curto como no longo prazo. Para os autores, uma das principais consequências da desigualdade tecnológica é seu impacto potencialmente negativo em alguns tipos de funções, como o trabalho rotineiro de processamento de informações; porém, assim como eu, veem que o futuro é uma construção colaborativa e será fruto de uma parceria entre computadores e seres humanos, pois "a chave para ganhar a corrida não é competir *contra* máquinas, mas competir *com* as máquinas".

"E meu emprego? Como entro nessa nova era de trabalhos com robôs?", é o que todos se perguntam. Digo que o desafio é transformar a tonelada de informações que recebemos diariamente em conhecimento aplicado. Só assim você elimina o risco da substituição iminente. Esse comportamento vai mantê-lo atualizado e conectado ao novo mundo do trabalho, para deixá-lo preparado para aproveitar as novas oportunidades.

O QUE OS ROBÔS NÃO CONSEGUEM FAZER

Um estudo publicado em 2013, feito por Carl Benedikt Frey e Michael A. Osborne, da Universidade de Oxford, concluiu que quase metade dos empregos dos Estados Unidos pode estar vulnerável à automação nas próximas duas décadas. Onde antes havia dezenas de pessoas agora existe apenas um engenheiro. Há robôs trabalhando na agricultura, operando em hospitais, diagnosticando e ajudando na cura do câncer.

Por outro lado, também há novas ocupações surgindo exatamente em decorrência da nova dinâmica do trabalho. David Autor, respeitado estudioso dos mercados de trabalho do MIT, recorre à ideia do Paradoxo de Polanyi para explicar como essa dinâmica funciona. A teoria, que leva o nome do pensador húngaro Michael Polanyi, diz que "sabemos mais do que podemos distinguir", sugerindo que os humanos podem fazer coisas imensamente complicadas, como dirigir um carro ou diferenciar uma espécie de pássaro de outra sem compreender plenamente os detalhes técnicos envolvidos, ou seja, sabemos mais do que conseguimos explicar. Polanyi verificou que algumas tarefas que demandam flexibilidade, julgamento e senso comum parecem ser mais difíceis para os robôs, que não têm capacidade ainda de desenvolver relações tão profundas.

No livro, Autor apresenta dados que mostram que empregos que exigem capacidade mediana de fato têm sido ameaçados nas últimas décadas pelos robôs, mas há um crescimento muito mais vigoroso no número de empregos em que os profissionais precisam ser ultraqualificados. Isso significa que, para os empregos no futuro, mesmo com os aperfeiçoamentos cada vez maiores da tecnologia para a realização de muitas coisas, hoje ainda estamos em vantagem.

Considerando a nova lógica dos empregos, é necessário que as pessoas façam parte de operação, mas contribuindo sempre com um conjunto de funções que não são de rotina, como a interação interpessoal, a flexibilidade, a adaptabilidade e a resolução de problemas, como explica David Autor. Ele cita especificamente tarefas de apoio médico, no setor de construção e algumas funções administrativas que exigem tomada de decisão em vez de apenas digitar e arquivar.

O esvaziamento da força de trabalho, com menos postos de trabalho para técnicos e para trabalhadores de fábricas com salários baixos, decorre já do uso de tecnologia, e, embora já tenhamos reconhecido essa tendência no passado, Autor afirma que não há razão para se acreditar que isso continuará acentuado no futuro:

> Acho que uma camada significativa de empregos que exigem uma capacidade média, que não requer faculdade, combinando habilidades vocacionais específicas com habilidades medianas básicas, como alfabetização, aritmética, adaptabilidade, solução de problemas e senso comum, persistirá nas próximas décadas.

Em paralelo, vemos que essas análises se repetem para dois professores da Universidade de Oxford que estudaram mais de setecentos tipos de profissões detalhadamente e publicaram um estudo no qual afirmam que mais da metade dos empregos nos Estados Unidos pode estar em risco de informatização nas próximas duas décadas. Eles apontam que 47% dos empregos norte-americanos estão sob alto risco de substituição por robôs, e outros 19% enfrentam um nível médio de risco. Aqueles empregos que são difíceis de automatizar podem estar seguros por enquanto, mas as pessoas com empregos mais facilmente automatizados estão em alto risco. No maior perigo estão os 60% da força de trabalho do país cuja função principal é agregar e aplicar informações.

David Autor ainda analisa a complexidade de responsabilizar o advento da computação pelo desaparecimento de postos de trabalho na última década, quando grande parte da mudança se verificou depois do investimento de capital em tecnologia da informação após o estouro da bolha das pontocom. O que sustenta o otimismo de Autor é o fato de a humanidade ter temido muito que a tecnologia usurpasse os empregos e ter errado consistentemente. Segundo ele, na aurora do século 20, 41% da mão de obra norte-americana estava empregada na agricultura, porcentagem que caiu para 2% em 2000. Os agricultores daquela época não imaginavam que tão poucos dos seus descendentes se dedicariam à agricultura ou que tantos trabalhariam nos setores de medicina, finanças, eletrônica, lazer, entretenimento e outros. Afirma Autor:

> Podemos encontrar novos exemplos, diariamente, em que a tecnologia substitui a mão de obra humana em um conjunto, embora circunscrito, de tarefas. As complementaridades são sempre mais difíceis de identificar.

Em outras palavras, é muito mais fácil ver os empregos que estão em risco em decorrência de tecnologias emergentes do que as oportunidades de novos empregos que serão geradas por essas tecnologias.

A Organização para Cooperação e Desenvolvimento Econômico (OCDE) lançou um estudo sobre o futuro do trabalho no qual podemos ver que o uso de robôs e a automação não deverão causar o desemprego em massa que se teme.

> A tecnologia está reduzindo os custos dos bens e serviços e aumentando a qualidade, estimulando o consumo e a produção. Se 14% dos empregos correm alto risco de automatização, 40% das vagas criadas entre 2005 e 2016 foram em setores de perfil eminentemente digital.

Assim como ocorreu com a Revolução Industrial, a revolução digital deve incrementar a expectativa de vida e a renda média, bem como as condições básicas de saúde e educação. Portanto, vamos ter que mudar nosso modelo mental do que é trabalho. Se todo mundo que está na fase de trabalhar estivesse de fato trabalhando, só precisaríamos trabalhar doze horas por semana, podendo aproveitar o restante do tempo no que estão chamando de Atenas digital, que é voltar a ler e a estudar mais e a discutir coisas mais profundas sobre a vida.

A Quarta Revolução Industrial tornou quase quatro bilhões de pessoas conectadas no mundo on-line, gerando uma montanha de dados e informações. Agora chegou a hora de ler todos esses números com inteligência artificial e *big data*, o que cria um mundo com mais qualidade de vida, menos fadiga e mais tempo sobrando. Chamamos de Quarta Revolução Industrial, mas na verdade não tem nada a ver com indústria, e sim com uma vida mais inteligente, com cidades, países e escolas mais inteligentes.

ROBÔS E MÁQUINAS SOB CONTROLE

O desenvolvimento de pesquisas em inteligência artificial é de suma importância hoje, já que influencia diretamente todas as áreas de estudo da humanidade. Mas estudar os desdobramentos e as consequências da presença dessas máquinas na nossa vida também é fundamental. O pesquisador Neil Jacobstein, convidado do programa MediaX da Universidade de Stanford, pontua sobre a crescente necessidade de haver mais pesquisas que envolvam a segurança e o controle das inteligências artificiais, pois, de acordo com ele, o impacto da IA e do *machine learning* é preocupante, e alguns pesquisadores tendem a minimizar o risco real.

Temos que discutir as questões do emprego humano de forma objetiva, levando em conta alguns fatores que são diretamente relacionados à questão. Em primeiro lugar, é preciso pensar que o trabalho em si é uma fonte de dinheiro, e que é relativo ao poder de compra. Logo em seguida, a segunda ideia é sobre como o emprego é diretamente ligado a contribuições de desenvolvimento técnico, bem como social. Em terceiro lugar, temos que compreender que o emprego é uma fonte de autoestima, além de ajudar a construir um senso de comunidade e pertencimento.

Levando em consideração essas três observações, é interessante verificar que o desenvolvimento das tecnologias exponenciais causará um aumento considerável no poder de compra. Além disso, as inteligências artificiais podem fazer com que a educação de alta qualidade, os diagnósticos e os cuidados de saúde sejam não apenas menos dispendiosos, mas também de fato acessíveis. Os mecanismos de impressão 3D e, futuramente, os processos de fabricação com precisão atômica tornarão possível o desenvolvimento de bens de altíssima qualidade e, ao mesmo tempo, de baixo custo.

INOVAR É SIMPLES

Por que algumas empresas estão bem aflitas com tudo o que está acontecendo, mas evitam as mudanças? Há vários fatores. Muitos executivos se limitam a resolver apenas os problemas do próximo trimestre e ignoram o redesenho da sua indústria, qualquer que seja ela. A maioria sabe que há algo errado, mas faz o que chamamos de "âncora", que é segurar a inovação enquanto pode, quase que em uma postura de "negação". Outros "adiam" a solução ou postergam pensar no problema, alegando falta de tempo por excesso de tarefas. "Começarei na próxima segunda-feira, ou após o feriado, ou após as férias, ou depois da quarentena." A questão é que sempre estão enredados na teia do dia a dia, o que não os deixa pensar de modo diferente. Porém, quando vemos, já fomos engolidos pelo fluxo de obrigações e afazeres, e nunca chegará o tempo de pensar em como mudar.

Sempre pergunto a meus alunos de MBA o que eles fizeram de diferente no fim de semana ou nos últimos dias, e 99% das respostas são: "Puxa, não deu para fazer nada de diferente". Sim, sei que tempo é o item mais valioso da vida moderna, mas procure se organizar e buscar experiências que fujam do lugar-comum. São elas que fazem você enxergar a realidade por outro ângulo. Sair da rotina estimula a criatividade e dá as ferramentas que o transformarão em um executivo startup. Por exemplo: se você não consegue se expressar em uma reunião, caia de cabeça em um curso de "teatro para não atores" e quebre o gelo de sua fala ou timidez com as artimanhas dos artistas. Em vez de destinos consagrados, viaje nas férias aos países não costumeiros, como os da Ásia. Ou visite aqui no Brasil um centro hindu para aprender como buscar desempenho sustentável e espiritualidade nos negócios. Para ser um profissional startup, você precisa enxergar além dos conteúdos vazios das redes sociais, vencer a arrebentação da "infomaré".

O gigantismo é também um problema para as indústrias, e hoje empresas muito grandes enfrentam muitos problemas, pois falta agilidade para modificar processos e pensamentos cristalizados. A crise e a falta de dinheiro também são dois dos motivos mais alegados para adiar ou evitar uma mudança. Porém, a verdade é que os períodos em que mais se inovou, seja para empresas, seja para mercados ou países, foi quando houve uma grande crise. A época em que as empresas mais inovam é quando falta dinheiro. Quer inovar? Tire o dinheiro da mesa. Simples assim. A criatividade vai gritar, e novas soluções terão necessidade de surgir.

O *walkman* é uma invenção de quando o Japão estava devastado. Então a inovação não vem de ter muito dinheiro, mas de uma disponibilidade de pensar o diferente. E não é preciso algo complicado. Por vezes, as soluções são simples, mas revolucionárias.

Existem empresas como a Bird, uma das primeiras startups a se tornar unicórnio – ou seja, a valer um bilhão de dólares –, com um negócio relativamente simples: patinetes elétricos. Hoje sabemos como fazem sucesso no mundo inteiro e mudaram a mobilidade urbana em grandes centros. E já que citamos o *walkman*, há a Sony, em um contraponto absurdo, que não se reinventa desde a criação desse aparelho.

Para quem pensa que é necessário muito investimento para criar coisas novas, sempre há o guardanapo da Uber. Ele é tão icônico que hoje está exposto no Museu da História do Computador, em Mountain View. Ele é um exemplo de que um pedaço de papel sem importância pode servir para se rabiscar a solução de um problema que parecia insolúvel. Foi nele que David Sacks ilustrou o esquema da relação entre passageiros e motoristas que deu origem a uma das mais bem-sucedidas empresas digitais já criadas.

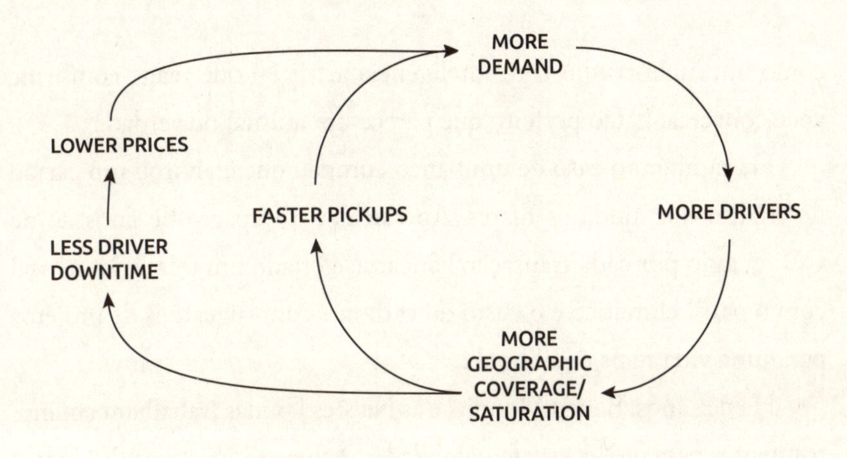

O guardanapo da Uber feito por David Sacks.

A inovação traz prosperidade. O preço da iluminação em Boston, quando era feita a partir de banha de baleia, diminuiu mil vezes quando ela passou a ser feita com velas e lamparinas. Quando o preço caiu, sobrou dinheiro para as pessoas gastarem em outras coisas. O economista Willian Nardo documentou como a tecnologia fez isso. Talvez a inovação tenha um preço alto inicialmente, em recursos humanos, financeiros ou outros, mas depois ela traz abundância e redução de gastos.

No entanto, a inovação não precisa vir apenas de necessidades básicas. Ela pode ser bastante sofisticada e criar vários produtos e serviços de apelo. Os consumidores precisam preencher um questionário sobre seu estilo de vida e enviar sua saliva, que contém seus dados genéticos, para a empresa 23andMe, e assim obter uma análise de seu DNA, com sua predisposição genética a doenças e suas necessidades nutricionais. O preço varia, dependendo do plano escolhido, entre US$ 99, US$ 199 e US$ 499.

Quando estive em Tóquio, fiquei impressionado com a quantidade de robôs com inteligência artificial disponíveis para uso doméstico. Há até filas de espera enormes para a compra de robôs de vários tipos, como um cachorrinho com inteligência artificial que reage conforme você conversa. É tão perfeito que parece um animal de verdade.

Há também o caso de um banco europeu que elaborou um cartão de crédito que ajuda os mares. Ao calcular o impacto de emissão de CO_2 gerado por cada transação bancária, é criado um relatório mensal com o perfil climático e o custo do carbono, com sugestões de projetos para uma vida mais equilibrada.

Há dez anos, Banco Mundial e as Nações Unidas trabalham em instrumentos para medir a sustentabilidade. O chamado Sistema de Contas Econômicas e Ambientais, Seea, na sigla em inglês, tornou-se norma internacional já em fevereiro de 2012. Os pioneiros a adotá-lo são Costa Rica, Colômbia, Filipinas, Botsuana e Madagascar. É possível também ultrapassar fronteiras significativas considerando a evolução científica. No início de 2019, a sonda chinesa Chang'e-4 realizou um pouso bem-sucedido no lado escuro da Lua e fez um experimento biológico. Conseguiram colocar na superfície lunar uma pequena biosfera e fazer brotar sementes de algodão. Foi a primeira vez que isso aconteceu na história da exploração espacial e a primeira vez que o programa espacial chinês realizou algo jamais feito por qualquer outra nação. Astronautas já tinham conseguido isso na Estação Espacial Internacional, mas não em outra superfície que não a da Terra. Os planos da China agora são construir a primeira colônia de inteligência artificial da Terra.

As possibilidades para exploração e inovação são inúmeras perto do que já alcançamos, mas dia após dia novas pesquisas surpreendentes vão surgindo e, com isso, novos horizontes se abrem, em um efeito cascata. Um exemplo disso é o estudo dos oceanos. Os seres humanos exploraram menos de 1% do leito marinho do planeta, e sabemos muito pouco sobre essa superfície, que cobre 70% da Terra. Em uma profundidade de seis mil a onze mil metros na fossa de Manila, submarinos robôs serão enviados para pesquisar a profundidade do mar e registrar formas de vida para catalogação e coleta de amostras de minerais.

Robôs que fazem leitura labial e reconhecimento facial e corporal logo se tornarão comuns na maioria das casas e locais de trabalho, eliminando trabalhos manuais e interações repetitivas. E impressoras 3D domésticas de custo acessível poderão imprimir em casa até 70% das manufaturas atuais. Se hoje existem cerca de cem mil voos diários, em um futuro bem próximo haverá dez milhões de voos diários de drones. Em breve quase ninguém mais terá um carro próprio, pois o transporte será compartilhado e autônomo. Desde os anos 1970 a Shell já anunciava o fim do petróleo e colocava entre seus objetivos a busca por fontes alternativas de energia, tornando-se precursora em tecnologias limpas, como a eólica e a solar. Essa realidade praticamente chegou.

Existem inúmeros outros exemplos, desde os mais complexos até invenções simples, mostrando como as inovações vêm nos mais diversos campos, e não unicamente da necessidade básica ou dos problemas mais óbvios. Olhar um passo adiante pode encurtar muitos caminhos para as questões que enfrentamos hoje e criar um atalho muito mais potente, que talvez não enxerguemos se concentrarmos nossa atenção apenas no que está acontecendo agora.

O ECOSSISTEMA DA INOVAÇÃO

Para que ideias inovadoras possam surgir em determinado período, é preciso haver o que se chama de *ecossistema da inovação*: cabeças pensantes e criativas de um lado e iniciativas que as financiem de outro, a fim de que as ideias possam frutificar e ser aplicadas, para o benefício da sociedade. Para tal, é fundamental a união entre iniciativa privada, governo e pesquisa acadêmica de ponta.

No início do século 19, houve um berço de inovação na Inglaterra favorecido por um ecossistema. Jacques Attali, no livro *Uma breve história do futuro*, nos mostra que, no fim das guerras napoleônicas, em Londres, no ano de 1815, nasceu a primeira financeira multinacional, o banco dos Rothschild, para financiar a fabricação de metal inglês. Seis anos depois, em 1821, a primeira estrada de ferro do mundo começava a funcionar na capital inglesa, e foi a primeira vez na história da humanidade que o valor gerado pela indústria ultrapassou o produzido pela agricultura. Naquela mesma época, Londres era o centro do mundo intelectual, por onde circulavam figuras como Charles Darwin, Sigmund Freud, Condessa de Lovelace (uma das criadoras do computador), Ned Ludd (criador do ludismo), Karl Marx (que escrevia o *Manifesto Comunista* na Biblioteca Britânica), Charles Dickens, Friedrich Engels, Charles Babbage, Oscar Wilde, Arthur Conan Doyle e outros inúmeros inovadores, artistas, intelectuais e criativos, bem como industriais e financistas, em uma efervescência que criou o ambiente ideal para o surgimento de grandes ideias que mudaram o mundo para sempre.

Outro exemplo de ecossistema inovador e incentivador foram as grandiosas Exposições Universais que aconteceram até aproximadamente 1970, espécies de feira realizadas com frequência e que funcionavam como grandes laboratórios de inovação, estimulando a economia e trazendo progressos significativos ao local que as sediava. A Grande Exposição de Londres, de 1851, atraiu mais de seis milhões de pessoas e ocorreu em uma estrutura batizada de Crystal Palace, criada no Hyde Park, a qual serviu de inspiração, mais de 160 anos depois, para a loja de vidro da Apple na Quinta Avenida, em Nova York.

Em 1939, Nova York organizou outra Feira Mundial, que reuniu 45 milhões de pessoas, em uma espécie de Copa do Mundo da inovação. Foi uma iniciativa cujo *slogan* era "O Mundo do Amanhã", e cuja proposta era apresentar e familiarizar as pessoas com invenções e inovações para que elas estivessem mais bem preparadas para o futuro. As Exposições Universais foram os primeiros lugares onde as pessoas viram objetos como o telefone, a máquina de escrever e a de raios X, o catchup, o náilon, entre inúmeras outras invenções.

OS NOVOS PS: PESSOAS, PARCERIAS, PROSPERIDADE, PLANETA E PAZ

Os tecno-otimistas acreditam que é chegada a época dos valores e do propósito com lucro, com negócios que respeitam a diversidade cultural, a responsabilidade social, a sustentabilidade e o propósito social, equilibrando o poder individual e o do Estado, unindo líderes e educadores que inspirem e engajem, conectando a ecologia e a economia, em um tempo de novos Ps: pessoas, parcerias, prosperidade, planeta e paz.

É tempo de curar o mundo das doenças dos séculos passados, criar novas possibilidades de emprego, acabar com a pobreza, reduzir a emissão de carbono, manter a Amazônia em pé, criar energia limpa e resolver os grandes problemas da humanidade. Como disse o futurista Magnus Lindkvist: "Ao longo da história, parabenizamos a competição e condenamos a criatividade. No novo mundo, ou se compete ou se cria. Eu escolhi criar".

Enquanto ferramenteiros pensam na exaustão do dia a dia, pensadores estratégicos trazem o futuro para hoje. Uma gigantesca vantagem competitiva desde 1990: mais de um bilhão de pessoas saíram da pobreza extrema, novos produtos e processos foram melhorados, os negócios são preditivos, o design contempla o futuro; é esse o nosso atual cenário.

CAPÍTULO 5

Estratégias e visões para um amanhã diferente

Mude suas opiniões, mantenha seus princípios.
Troque suas folhas, mantenha suas raízes.

– Victor Hugo

Como criar um futuro compartilhado em um mundo com um presente fraturado?

É justamente dos questionamentos que criaremos novas soluções. Novos caminhos surgirão a partir do debate de ideias entre pessoas individualmente livres e voluntariamente juntas, que entendem o prazer da discordância e que discutem ativamente não para fazer valer seu ponto de vista, mas para buscar novas saídas.

A polarização que está dividindo o mundo pode ser vantajosa se entendermos que do movimento dialético de tese e antítese poderemos encontrar a síntese. É da união dos polos que novas perspectivas surgirão, pois é do embate de ideias aparentemente díspares que novas combinações podem ser feitas, e daí nasce a inovação. É do debate entre os diferentes que vai nascer o novo. É do exercício da divergência

– com educação, boa vontade, paciência, empatia e bom senso – que pode advir uma nova realidade.

A solução chega quando começamos a entender três aspectos muito importantes:

- Nenhum de nós é tão inteligente quanto todos nós juntos.
- Em um tempo em que o trabalho braçal não é mais necessário, o que conta são os cérebros.
- O desafio da nova era é não deixar ninguém de fora, e há três bilhões de pessoas ainda para trás em termos de desenvolvimento humano.

A existência de linhas de pensamento divergentes permite que tracemos um processo desordenado de acessar a intuição do outro para obter novos pontos de vista e percepções. A partir disso é possível construir novas opções que antes não haviam sido consideradas pelo simples fato de que temos limitações evidentes quando começamos a pensar diferente. Esse é um processo iterativo, e é enganoso pensar nessa construção como algo simples. O confronto torna-se totalmente necessário para gerar novos cenários.

Tudo se inicia quando um problema é detectado e, logo depois, a necessidade iminente de sua resolução surge. O mapeamento bem-sucedido de problemas exige uma grande conexão com o ambiente no qual se está inserido, bem como uma leitura bem detalhada de todos os processos que ali ocorrem.

A diversidade de pessoas e experiências aumenta significativamente o potencial de identificação e proposição de soluções de problemas, pois essa colisão de perspectivas causa questionamentos naturais, provocando assim inúmeras inquietações sobre o *status quo*.

As inovações nascem de situações em que pessoas veem a mesma realidade com visões diferentes. Quando isso acontece, há certa expansão da intuição dos indivíduos relacionados, ao passo que eles começam a acessar sua experiência de vida e insights de modo diferente, passando a ver as coisas a partir de outras perspectivas.

Ou, como afirmou o pensador do futuro Walter Longo: "A ubiquidade das tecnologias digitais faz que o futuro se imponha sempre. Não há como resistir à dinâmica do novo. Ele acaba encontrando uma brecha para aparecer, ainda que com alguma rejeição inicial".

DA DIVERGÊNCIA SURGE O NOVO

J. P. Guilford, psicólogo da década de 1950, identificou um importante conceito chamado *pensamento divergente*. É quando surgem novas reflexões ou raciocínios totalmente diferentes dos que estávamos seguindo, e isso está diretamente relacionado à criatividade. Por essa razão, ele atribuiu a esse pensamento características fundamentais, que permitem identificar ambientes propícios ao surgimento de ideias inovadoras, algo constantemente estimulado nos *hubs* criativos, como as startups e os *coworkings*.

Ainda segundo o estudioso, o pensamento, para ser catalogado como divergente, deve apresentar determinadas qualidades, dentre as quais:

- a fluência, que é relativa à capacidade de produzir grande número de ideias ou soluções de problemas em um curto período de tempo;
- a flexibilidade, que é a proposição de múltiplas soluções para a mesma situação;
- a originalidade, que é a capacidade de produzir ideias novas e originais;

- a elaboração, ou sistematização dos detalhes de uma proposta e sua implementação.

Uma atmosfera que incentiva o surgimento de novas ideias é aquela na qual existe um debate aberto sobre maneiras de se resolver problemas. Desse modo, passa a ser necessário evitar os estigmas aos quais estamos conectados. A existência de pensamentos radicais, que não aceitam outra visão e recorrem a julgamentos excessivos, mata a dialética criativa. Dessa maneira, debater e explorar as diferenças de opinião é vital. A partir do momento em que passamos a considerar todas as opções surgidas do conflito de ideias, é preciso saber identificar os resultados possíveis de cada cenário sugerido.

O compartilhamento de visões e o contraste de opiniões são fatores catalisadores de novas ideias. Se houver o apego que os indivíduos geralmente têm por suas ideias, o processo é prejudicado. E quando discutimos cenários futuros, as suposições inconscientes por trás dos debates são uma das causas mais significativas de falha.

Conservadores não têm lugar no mundo da inovação, do avanço científico e social. Esse território é dos desobedientes. Quando cunhou o conceito de *design thinking*, o americano Tim Brown profetizou: "Há um papel claro e real para a alta liderança, mas não é o de ter as ideias, e sim o de criar as condições para que elas existam".

O processo de buscar inovar e progredir vem da análise constante de resultados, mas a tomada de decisão é necessária quando pensamos em transformação, já que, quando ações não são tomadas, as chances de colapso da realidade são quase uma sentença.

PILARES DE UM NOVO PENSAMENTO

Chegamos em um momento em que é preciso aprender a aprender, aprender a mudar e, mais do que isso, preparar-se para as mudanças. Proponho para isso quatro pilares de pensamento:

- A sociedade 5.0.
- O Human2Human.
- O mundo em rede.
- O trabalho com propósito.

A SOCIEDADE 5.0

O que é a sociedade 5.0? Esse conceito foi proposto no 5º Plano Básico de Ciência e Tecnologia como uma sociedade futura à qual o Japão deveria aspirar. Seria uma sequência natural à sociedade de caça (sociedade 1.0), à agrícola (sociedade 2.0), à industrial (sociedade 3.0) e à da informação (sociedade 4.0). Na sociedade da informação, a 4.0, a partilha transversal de conhecimento e informação não era suficiente, e a cooperação era difícil. A sociedade 5.0 é aquela centrada no homem, que equilibra o avanço econômico com a resolução de problemas sociais por um sistema que integra em alto grau o ciberespaço e o espaço físico.

Na sociedade 4.0, há um limite para o que as pessoas podem fazer; a tarefa de encontrar as informações necessárias e analisá-las era um fardo, e o trabalho e o escopo de ação são restritos em virtude da idade e dos diferentes graus de habilidade. Além disso, devido a várias restrições em questões como a diminuição da taxa de natalidade, o envelhecimento da população e o despovoamento local, era difícil oferecer respostas adequadas.

A reforma social (inovação) na sociedade 5.0 alcançará uma sociedade voltada para o futuro que destrói o sentimento de estagnação existente, uma sociedade cujos membros têm respeito mútuo, transcendendo as gerações, e na qual cada pessoa pode liderar uma vida ativa e agradável.

A sociedade 5.0 alcança um alto grau de convergência entre o ciberespaço e o espaço físico. Na sociedade da informação anterior, a sociedade 4.0, as pessoas acessavam um serviço de nuvem – um banco de dados – no ciberespaço, via internet, e procuravam, recuperavam e analisavam informações ou dados. Na sociedade 5.0, porém, uma enorme quantidade de informações de sensores no espaço físico é acumulada no ciberespaço; ali, esse grande volume de dados é analisado por uma inteligência artificial, e os resultados da análise são realimentados para os seres humanos no espaço físico de várias formas.

Na sociedade da informação anterior, a prática comum era coletar informações por meio da web e analisá-las por seres humanos. Na sociedade 5.0, entretanto, pessoas, coisas e sistemas estarão todos conectados no ciberespaço, e os melhores resultados obtidos pela IA, que excedem as capacidades dos seres humanos, são retroalimentados para o espaço físico. Esse processo traz um novo valor à indústria e à sociedade de maneiras que não eram possíveis anteriormente.

Tudo isso não significa que o Japão está livre de problemas ou que os está deixando de lado para projetar um futuro. Ao contrário. À medida que a economia do país cresce e a vida se torna próspera e conveniente, a demanda por energia e alimentos está aumentando, bem como a expectativa de vida, com o envelhecimento da sociedade avançando. Além disso, a globalização da economia está progredindo, o que faz a concorrência internacional se tornar cada vez mais acirrada, ocasionando problemas como concentração de riqueza e desigualdade regional crescentes.

Os problemas sociais que devem ser resolvidos em decorrência do desenvolvimento econômico do país se tornam cada vez mais complexos, e várias medidas precisam ser tomadas, como a redução das emissões de gases de efeito estufa (GEE), o aumento da produção de alimentos, com redução de perdas, a mitigação de custos associados ao envelhecimento da sociedade, o apoio à industrialização sustentável, a redistribuição de riqueza e a correção da desigualdade regional. Ao mesmo tempo, alcançar o desenvolvimento econômico e as soluções para os problemas sociais não é algo fácil de se conseguir no atual sistema social.

Mesmo assim, as novas tecnologias, como internet das coisas, robótica, IA e *big data*, que podem afetar o curso de uma sociedade, continuam progredindo no Japão, que procura tornar a sociedade 5.0 uma realidade incorporando-as em todos os setores e atividades sociais, enquanto alcança o desenvolvimento econômico e as soluções para seus problemas em paralelo.

Assim, o novo valor criado por meio da inovação eliminará lacunas regionais, de idade, de gênero e de linguagem e permitirá o fornecimento de produtos e serviços finamente adaptados às diversas necessidades individuais e às necessidades latentes. Desse modo, será possível alcançar uma sociedade que possa tanto promover o desenvolvimento econômico quanto encontrar soluções para os problemas sociais. Atingir esse patamar de sociedade, no entanto, não é fácil, mas o Japão pretende enfrentar os problemas de forma integral, com o objetivo de ser o primeiro país no mundo a lidar com questões desafiadoras para apresentar um modelo de sociedade futura.

HUMAN2HUMAN

A indústria, em consonância com o mundo, é regida por valores específicos, que podem, apesar disso, se transformar ao longo do tempo. Na época atual, está muito em voga o conceito *human to human*, que vem de valorizar o ser humano por si só. Mas nem sempre foi assim. Essa tendência tem adquirido força recentemente por razões puramente evolutivas, já que o ser humano passou a perceber seu papel central no desenvolvimento e na transformação do mundo, de modo que saímos de um momento em que supervalorizávamos os produtos para nos concentrarmos no fator humano.

Para entender melhor essa mudança de olhar, precisamos voltar um pouco no tempo. Com o início das atividades industriais no século 17, as empresas produziam sob uma demanda máxima: suprir a carência de bens manufaturados. Isso era um reflexo direto das necessidades da sociedade, e a indústria era unicamente voltada para a produção em escala, ou melhor, seguia um conceito fordista, com a produção em série. Naquele momento da história, vivíamos uma época centrada em produtos, motivo primário da nossa atenção e motor da economia.

Com o rápido desenvolvimento tecnológico e a consequente globalização, tornou-se cada vez mais acessível ser um produtor, ou seja, as fábricas e empresas passaram a se disseminar pelo globo, e em meados da década de 1970 o mundo já havia se tornado competitivo e com preços que já denotavam um mercado agressivo e em ascensão. O preço do barril de petróleo, por exemplo, chegou a aumentar 300% em apenas noventa dias, o que acabou ocasionando a chamada crise do petróleo. A escassez de fonte energética provocou uma ruptura econômica global, que resultou na falência de empresas, e quem tinha poder de compra foi eventualmente quem passou a ser o pivô do mercado. Nesse ponto, o consumidor passou a assumir seu papel central na economia.

Ao mudar o foco do mercado para uma abordagem mais centrada no humano, surgiu uma nova categoria de entendimento da lógica mercadológica, e a rede da economia deixou de ser *business to business* (B2B) ou *business to consumer* (B2C) e passou a ser H2H, humano para humano. As estratégias que antes se concentravam em duas categorias quase que impessoais se modificam, pois o espaço para relações superficiais diminui sensivelmente.

As empresas agora colocam o ser humano em primeiro lugar, e com isso mostram que a tecnologia – apesar de ser não apenas um importante componente do processo de produção, mas também parte integrante dos produtos – é um complemento apenas, uma peça para se construir o que realmente importa, que são as relações, sejam elas entre clientes e marca, sejam entre colaboradores.

Essa mudança de perspectiva tem sido trabalhada por estudiosos há certo tempo, mas o mercado tem relutado em adotar novos olhares. Steve Hilton publicou em 2015 o livro *More Human* (Mais humano, em tradução livre), no qual aborda as falhas do sistema atual e aponta como a demanda de humanizar as relações entre marca e público vem do próprio público, que tem se sentido desconectado de líderes e organizações. Em tempos de economia de baixo carbono e sob demanda, o ser se torna mais importante que o ter.

O mundo se movimenta agora em direção à construção do "um a um". Mas não basta personalizar experiências e produtos, é preciso compartilhar sentimentos e sentidos, de modo que pessoas com valores em comum possam se beneficiar. É isso que os novos meios sociais e digitais permitiram, transformando a forma como os seres humanos interagem e se conectam, pois perceberam que a transformação digital e a inovação são uma gigantesca vantagem competitiva.

A distância entre pessoas e corporações se evidenciou nos últimos tempos, ao passo que as relações humanas se tornaram mais transparentes e a preocupação com a saúde mental passou a ser um tópico de discussão constante, em relação tanto ao ambiente de trabalho quanto à vida pessoal.

Como consequência dessa transformação nas relações, ficou claro como as empresas que não tinham uma voz ou emoção, por exemplo, tiveram de mudar sua postura pública, principalmente nas redes sociais e na sua comunicação institucional. A necessidade de se conectar e se sentir incluído é grande, e, com isso, vem a mudança mercadológica. Essa leitura é importante não apenas em termos de marketing, mas também como um fator nas definições de como o mundo muda. Nas palavras de Maya Angelou: "As pessoas esquecerão o que você disse, as pessoas esquecerão o que você fez, mas as pessoas nunca esquecerão de como você fez elas se sentirem".

A tecnologia que possibilitou o surgimento da análise de dados é benéfica, por nos permitir compreender os comportamentos das pessoas a partir de suas ações e, com essas leituras, desenhar estratégias extremamente assertivas de negócios. No entanto, essa abordagem faz com que os indivíduos sejam tratados como dados, números, coisas. Não são seres humanos, mas *seeds*, *leads*, *prospects*, *suspects* e consumidores pagantes, ou seja, uma progressão de nomenclaturas que afasta as pessoas do que elas realmente são: pessoas. Ao não reconhecermos o que há por trás dos dados, não existe uma chance real de desenvolver uma conexão com aquela pessoa, e assim não é possível construir diálogos significativos ou criar laços reais.

Quando estudamos códigos, não podemos nos esquecer de estudar também as habilidades sociais, como empatia, colaboração e comunicação, que são a nossa vantagem competitiva contra as máquinas. A tecnologia e a possibilidade de abordar as pessoas por intermédio de múltiplos canais fazem com que a comunicação seja expandida. Saímos dos meios tradicionais para transformar as relações a partir dessa nova dinâmica da comunicação, mas o uso dessas inúmeras ferramentas deve ser feito de forma estratégica, pois cada uma delas tem um nicho, o que segmenta os consumidores e as mensagens a serem transmitidas.

As ideias de bombardear o consumidor com mensagens, de exercer cobertura total, de focar o *target* não são novas. Já foram usadas, inclusive, com propósitos nocivos, justamente por serem eficientes e poderosas. Goebbels, o genocida nazista, que foi o chefe da propaganda do Terceiro Reich, foi mestre em empregá-las. Por isso, ter cuidado nas estratégias de comunicação é essencial para que pessoas não sejam transformadas em coisas ou números e para que a fidelização de consumidores não seja banalizada ou objetificada.

No entanto, como gradativamente os clientes compreendem a lógica do mercado, torna-se cada vez mais difícil agradá-los, o que exige que as marcas pensem estrategicamente, de modo a criar um senso de parceria com o consumidor, que passa a investir na marca por ela estar efetivamente provendo algo a mais a ele, e não apenas um produto. Esse senso de comprometimento, importância e interatividade não pode ser promovido apenas pelo uso da tecnologia. É necessário que uma abordagem humanizada seja colocada em prática, e é aqui que saímos do marketing de dados para entrar no *human to human*.

Para superar o ruído quase ensurdecedor da comunicação empresarial, que se baseava exclusivamente na priorização do dinheiro, é preciso considerar a transformação na visão das pessoas, que buscam agora estabelecer conexões mais profundas. Para entendermos melhor como essa mudança se deu, faz-se necessário verificar como as gerações têm sido criadas. A revolução da comunicação ocorre com a chegada dos novos consumidores da geração *millennial* e das gerações Z e alfa.

Hoje o crescimento do marketing de empatia e do design de experiência, em paralelo à taxa com que as empresas perdem o *status* no ranking da revista *Fortune 500*, mostra quanto é difícil se adaptar a essa nova fase. A longevidade das corporações e marcas passou a exigir mais que saber apenas o gosto do consumidor; agora é necessária uma compreensão mais abstrata do que ele sente, pensa e deseja. As pessoas selecionam o que consideram como verdade sobre o mundo e sobre si mesmas, e ao ignorar essas questões as marcas e empresas perdem totalmente um modo único de entender e se comunicar efetivamente com elas.

O MUNDO EM REDE

As redes estão estabelecidas, são uma realidade, mas a verdade é que as pessoas têm certa dificuldade em compreendê-las. Estamos acostumados a enxergar as empresas, mas engatinhamos no entendimento das redes. Vivemos como os cegos daquela conhecida fábula em que um príncipe indiano chama três deficientes visuais para apalpar três diferentes partes de um elefante. Sem poder compreender o todo, cada cego diz que tocou um diferente objeto, mas nenhum conclui que era o animal. Os negócios em rede são como o elefante: cada um os compreende apenas parcialmente, de acordo com suas limitadas percepções.

Trabalhar em rede exige misturar percepções, compartilhar e colaborar. Como ninguém sabe tudo, devemos mixar experiências e imaginar novos modelos de negócios no século 21. O que você deseja ser? Um novo príncipe dos negócios em rede, um cego perdido na torrente digital ou um elefante incompreendido? Está em suas mãos.

Compreender a geração Z meramente como consumidora de tecnologia é se afastar da realidade, pois essas são pessoas que, diferentemente das gerações anteriores, não conheceram um mundo sem internet; são nativos digitais, jovens que nasceram recebendo uma avalanche de conteúdo. Não há para eles uma diferenciação do que é físico ou virtual, on-line ou off-line, e a realidade deles não pediu uma adaptação ao novo, pois já nasceram hiperconectados.

Metade dos jovens entre treze e 25 anos passa cerca de dez horas por dia conectada, o que é um retrato claro do novo ser humano; já não existe, por exemplo, um usuário à parte da tecnologia. Não funcionamos mais como avatares em ambientes digitais, que se separam do ser humano real por trás daquela persona. A geração Z se vê inserida nessa quarta dimensão, e a internet passou a ser apenas mais uma extensão do ser humano, ou outra expressão dele.

Em nenhuma era da história tivemos tanta liberdade para nos expressar. Estamos dando um passo à frente no exercício de dizer o que pensamos. O inglês John Howkins, considerado o pai da economia criativa, diz que "nossas necessidades mudaram. Sai a sobrevivência e entram as emoções". Ao ouvir a voz da multidão digital, descobrimos que a maioria das pessoas está insatisfeita. Discordo do extremismo, na rede e nas ruas. O escritor britânico George Orwell estava certo ao dizer que, "se a liberdade significa alguma coisa, será, sobretudo, o direito de dizer às outras pessoas o que elas não querem ouvir".

À medida que o mundo se desenvolve reaprendendo a se comunicar com as novas gerações, as marcas e o próprio mercado vão se reinventando, e assim como esses novos comportamentos despontam, fica claro que é preciso se reinventar, tornar-se mais jovem para se manter vivo e servir melhor à sociedade.

Um dos pilares que sofreram uma transformação evidente ao longo dos últimos anos é a questão da saúde e do bem-estar, que passou do ponto de ser negligenciada – seja por falta de informação, seja pelo sistema capitalista predatório que se importava unicamente com crescimento financeiro – para um dos fatores de mais importância ao pensarmos o consumo no século 21.

Hoje, sabe-se que a geração Z usa menos drogas do que as gerações anteriores; o tabagismo, por exemplo, diminuiu em 81% entre os jovens desde 1990. A priorização da saúde em detrimento da rebelião sem causa é uma característica marcante dessa nova geração de consumidores, por isso, produtos, serviços e ideias que oferecem benefícios adicionais para o corpo e a mente se tornam cada vez mais populares.

Os contrastes e choques entre as gerações são claros. Enquanto os jovens das gerações anteriores buscavam refúgio em drogas prescritas como o Rivotril ou Ritalina, como foi mostrado no livro *Nação Prozac*, de Elizabeth Wurtzel, as mais jovens não buscam reforços para desempenho. A procura é por outras formas de tirar a sobrecarga da rotina, evidenciando uma mudança de valores, o que está de acordo com uma pesquisa recente desenvolvida pelo National Institute of Health (NIH). Nela se comprovou que o número de jovens norte-americanos com idade entre quatro e dezessete anos que pratica ioga quase triplicou nos últimos cinco anos, enquanto aqueles que exploram a meditação aumentou de 0,6% para 5,4% da população geral. Como a Gen Z Insights relata, os jovens hoje conectam diretamente o conceito de saúde com felicidade.

O TRABALHO COM PROPÓSITO

Durante mais de um século, as teorias de administração e estratégia nos ensinaram que a empresa está no centro do mercado. As teorias de Peter Drucker, talvez o maior pensador de gestão do século 20, nasceram do estudo que ele fez da organização interna da General Motors em 1943, e desse estudo surgiu o livro que traz o conceito de corporação, que até hoje norteia os estudos de administração de empresas.

Nos dias de hoje, o professor Yoram Wind, da Escola de Negócios de Wharton, nos Estados Unidos, mostra que os conceitos de Drucker estão perdendo força, uma vez que a empresa não está mais necessariamente no centro. No mercado atual, não existe centro, existe rede, pois os negócios estão interligados. Quando um banco quebrou em 2008, o sistema financeiro mundial entrou em colapso.

O sistema de trabalho em rede significa uma nova forma de compreender a dinâmica dos negócios e do trabalho. Exige uma mudança na maneira de pensar dos profissionais. É preciso estar aberto à inovação coletiva, a revelar uma ideia para ser desenvolvida em comunidade.

Nesse novo tempo, focado em valores, em que o propósito vem antes do lucro como estratégia de negócios, é vital incentivar o poder das ideias, a economia do conhecimento, a diversidade cultural, a responsabilidade social e a ética. O líder inspira e engaja os indivíduos a explorarem o novo, inventarem possibilidades e arriscarem-se. O foco da educação de alto impacto deve ser preparar pessoas para a resolução de problemas complexos e incentivar o poder do conhecimento coletivo.

As organizações reagem e enxergam no mundo on-line o local mais fácil para contratar um jovem talento. Pesquisas indicam que só nos Estados Unidos 89% das empresas já pesquisam em redes sociais para recrutar profissionais. O Citibank, por exemplo, fez uma ação na rede SoundCloud para recrutar novos funcionários. Nessa plataforma, o Citi, uma das maiores instituições financeiras do mundo, publicou depoimentos de seus gestores, que explicavam as vantagens de trabalhar lá. Qualquer candidato poderia entrar e tirar dúvidas. Porém, depois de contratados de maneira tão magnífica, será que esses jovens profissionais terão suas expectativas correspondidas?

Meu pai, que faleceu com 93 anos em 2020, começou a trabalhar ainda adolescente, carregando placas com propaganda de peças de teatro no centro de São Paulo. Depois conseguiu um emprego em uma multinacional e trabalhou nela por quase quarenta anos. Foi um exemplo da classe média bem-sucedida. Para ele, a carteira assinada era uma conquista, que ele gostaria que eu repetisse. Hoje não é mais assim.

Os cérebros procuram o trabalho inteligente e criativo, que não encontram na empresa tradicional. Será um retorno ao empreendedorismo, globalizado pelas redes sociais? A sociedade em rede é uma megalópole de ruas sem nome. Ainda dá tempo de colocar o seu numa delas. Inovação e ética valorizam os profissionais mais buscados.

Após procurar por seis meses, um grande banco brasileiro encontrou um especialista em inovação. A quantidade de coisas que esse executivo precisa saber para desempenhar sua função é irreal: medir o grau de confiança da marca, criar interações, conexões e reciprocidade com os clientes, aplicar a gestão da inovação e a gestão do conhecimento para fazer fluir as informações. Ele também deve entender de ética, tecnologias sociais e sustentabilidade. E fazer o trabalho com prazer, prezando pela saúde mental e espiritual. Obviamente o banco exigiu demais. Muitas vezes as empresas procuram profissionais que não existem. Apesar de exagerado, esse caso serve para mostrar que as companhias estão atrás de pessoas capazes de organizar ideias complexas e que tenham valores pessoais nobres.

Os negócios vão precisar cada vez mais de gente assim. E isso é tarefa não para super-homens, mas para pessoas reais. Procure ser um profissional preocupado com inovação e ética. Enxergue o lucro a partir da sabedoria das multidões. Pense, por exemplo, na ética do cuidado.

É preciso aprender a fazer gestão do conhecimento que está fora da empresa. As companhias imploram por indivíduos que entendam a liderança baseada em rede, que sejam capazes de construir uma estrutura de relacionamentos, que saibam como acessar informações e pessoas. A era das redes exige ousadia. Profissionais devem entender que a cooperação pode substituir a competição. Devem ser capazes de enxergar alianças lucrativas com o concorrente mais feroz. Devem saber lidar com um consumidor que tem voz e que se manifesta, e não apenas tem poder de compra.

CAPÍTULO 6

Como criar um futuro promissor

As revoluções são começadas por homens que fazem as circunstâncias e terminadas por homens que fazem os acontecimentos.

– Victor Hugo

ACRESCENTE SEU TIJOLO

Ao longo de centenas de anos, surgem novos indivíduos que colocam um bloco em cima dos velhos alicerces, dizendo estar contribuindo para a construção. No mês seguinte, outro bloco é colocado em cima do anterior. Então chega o historiador com a seguinte pergunta: "E então, quem construiu a catedral?". Fulano acrescentou algumas pedras aqui, Sicrano pôs mais outras ali. Se não tiver cuidado, você pode ser levado a acreditar que fez a parte mais importante, mas a realidade é que cada contribuição tem que se seguir à contribuição anterior. Tudo está amarrado a tudo.

Joseph Carl Robnett Licklider, ou "Lick", como era seu apelido, foi um dos notórios pesquisadores do MIT, psicólogo e cientista da computação norte-americano e uma das figuras mais importantes da história da ciência. Foi um dos pioneiros da computação interativa e um dos primeiros a ter a visão de que a internet poderia ser uma rede ou teia. Ele via o desenvolvimento da pesquisa, especialmente o tecnológico, como esse processo de construção colaborativa que citei, e dizia que devemos enxergá-lo como um todo que ocorre em etapas, nas quais a colaboração é a chave de tudo. O pesquisador gostava de criar grupos de pessoas e as estimulava a serem curiosas e a resolver problemas. Ele sabia que obter boas respostas requeria colaboração e adorava descobrir pessoas talentosas e reuni-las em equipes.

Um fato curioso sobre o pioneiro intelectual das redes é que ele também era fascinado pela arte e buscava incessantemente atribuir um papel de maior relevância para a ciência e para a engenharia. Uma história que reverbera sobre ele data da última fase de sua carreira, quando trabalhou no Pentágono. Diz-se que observava como uma das faxineiras se interessava pelas gravuras expostas em sua sala, até que um dia ela lhe disse: "Sempre saio da sua sala tarde porque gosto de ter um tempo para mim mesma, sem sofrer nenhuma pressão, para olhar os quadros". Como grande amante das artes, o cientista perguntou de qual obra ela mais gostava e ela prontamente apontou para um quadro de Cézanne, que era um dos favoritos do professor. Licklider então ofereceu-lhe a pintura na mesma hora.

O conceito de rede e interatividade é um dos maiores valores que temos hoje. É possível fazer tudo pela internet, e as pessoas podem trabalhar em projetos globais de pontos completamente distantes do planeta. A colaboração e a cocriação global ganharam imensa popularidade por envolver a interação de pessoas, on-line ou presencialmente, e são viáveis por utilizarem plataformas que permitem construir comunidades de aprendizagem e bases colaborativas de conhecimento. Algumas das principais vantagens da colaboração global são a grande capacidade de resposta, o fomento ao conhecimento local, considerável redução de custos operacionais, além do aprimoramento dos produtos criados e do aumento da velocidade de produção.

Em comparação com o passado, há um grande aumento nos processos construtivos, com pessoas operando continuamente, mesmo estando distantes entre si, independentemente do fuso horário em que se encontram. Podem otimizar processos criativos que saem do âmbito do espaço físico e ganham uma dimensão nunca vista antes. A colaboração global eficaz parte do acesso deliberado a dados e do desenvolvimento de bases de conhecimento em nuvem, o que tornou possível reunir informações e compartilhá-las de modo que todos tenham acesso a elas.

SAIA DO CONVENCIONAL

Hoje, entender a necessidade de quebrar as barreiras, bem como saber a importância de trabalhar junto, é o início da solução para os problemas da atualidade. Quando pensamos que o ambiente científico e acadêmico não pode nos dar mais insights sobre como nos adaptar às transformações do nosso cotidiano, podemos sempre relembrar a época do início do movimento *hippie* dos anos 1960, quando estavam em alta os conceitos de compartilhamento e colaboração.

David Kaiser, autor de *How the Hippies Saved Physics – Science, Counterculture, and the Quantum Revival* (Como os *hippies* salvaram a física – ciência, contracultura e o *revival* quântico, em tradução livre), publicado em 2012, relata como, na época, um grupo de cientistas do MIT desafiou o jargão imperativo do "cale a boca e calcule" e buscou, por meio de inúmeros métodos, explorar a física moderna. Na década de 1970, em meio a severos cortes no financiamento do departamento de física, um pequeno grupo de cientistas de Berkeley decidiu eliminar as convenções da academia e explorar o lado mais experimental e inovador da ciência.

Em 1975, em São Francisco, Califórnia, a física nuclear Elizabeth Rauscher, juntamente com George Weissmann, ambos estudantes de pós-graduação da Universidade de Berkeley, reuniram alguns pesquisadores e amigos da universidade para dar início a um grupo de discussão que ficou conhecido como Fundamental Fysiks Group, o FFG. Às sextas-feiras à tarde, os dois encontravam-se com pessoas como Fritjof Capra, Fred Alan Wolf, Jack Sarfatti, Sean Paul Sirag e vários outros para conversar sobre as implicações filosóficas da física quântica, com abordagens nada convencionais para estudar a matéria, propondo olhar a teoria pelo lado do misticismo oriental e da leitura psíquica da mente. Debatiam como pular entre universos paralelos e saltar para a frente e para trás no tempo.

Apesar de soar improvável, o trabalho deles no conhecido teorema de Bell, no experimento de fenda dupla, e especialmente no entrelaçamento quântico, uma propriedade que faz com que partículas entrelaçadas tenham comportamentos associados sem que se saiba por que isso acontece, ajudou a abrir novas perspectivas e especulações que estimularam os avanços da ciência quântica. Ali estavam também as sementes da computação quântica, uma grande fronteira científica que hoje atrai milhares de pesquisadores e empresas globais.

O grupo trabalhava com bases que derivavam do movimento *hippie*, e, se levarmos em conta os dias de hoje, podemos dizer que ajudaram a definir o que é o Vale do Silício. Levando em conta que tudo era possível, os estudantes seguiam algumas ideias básicas: a autoridade podia ser questionada, as hierarquias deveriam ser cerceadas, eles não deveriam se conformar com as ideias e conceitos pré-estipulados e a criatividade devia ser estimulada. A política libertária dos *hippies* foi a raiz da revolução cibernética e computacional, e até dos hackers. A liberdade de utilizar as ferramentas disponíveis para desenvolver o que não foi premeditado é o que trouxe à tona a possibilidade de descobrimento da humanidade, ou seja, não nos resignarmos diante do que deve ser feito.

No começo dos estudos publicados pelo grupo, os respeitados jornais de física dos Estados Unidos se recusavam a abordar qualquer tema relacionado à física quântica, mas, um tempo depois, os integrantes do FFG passaram a ser convidados para participar de discussões abertas, e os *workshops* duraram mais de uma década e atraíram importantes nomes da física convencional, como Richard Feynman, um dos pioneiros da mecânica quântica. Aos poucos, os debates criaram um público atento dentro da academia, que incluía pesquisadores célebres como John Wheeler, conhecido por colaborar com Albert Einstein, criar a expressão "buraco negro" e orientar Feynman.

O uso de metodologias nada convencionais e a disposição dos integrantes do grupo para explorar novos territórios e derrubar as barreiras permitiram que os debates do FFG gerassem resultados. Se eles tivessem se prendido aos paradigmas da época, não teriam revolucionado o campo nem expandido seu próprio entendimento.

Governos e empresários anunciam sempre o "próximo" Vale do Silício, acreditando que basta apenas a construção de parques de startups, laboratórios, casa de *makers* e muita tecnologia próximos a universidades, e com um consórcio entre indústria e serviços, para se ter uma ilha de inovação. Mas isso nada adianta se você não tiver a disposição para fazer diferente.

Sempre tentaram copiar o modelo único do oeste norte-americano, mas poucos sabem que o primeiro projeto do que seria o Vale do Silício nasceu mesmo do encontro do jovem Walt Disney e dos estudantes de engenharia da Universidade de Stanford Bill Hewlett e Dave Packard. Em uma casa simples em Palo Alto, em 1938, esses dois jovens, incentivados por um professor e mentor de Stanford, e com exatos US$ 538, abriram uma empresa. Jogaram uma moeda para decidir seu nome, se seria PH ou HP. Hewlett ganhou, e a Hewlett-Packard nasceu. Criaram um aparelho oscilador de áudio, do qual Walt Disney comprou oito unidades, finalizando com isso sua obra-prima *Fantasia*. Chamaram-no de HP-200B, e Packard revelou, mais tarde, que o nome foi escolhido para dar aos clientes a impressão de que eles não estavam lidando com uma empresa iniciante, que oferecia seu primeiro produto.

Durante a Segunda Guerra Mundial, enquanto Bill Hewlett estava nas Forças Armadas, Dave Packard dormia em uma cama de lona no escritório e gerenciava três turnos de trabalhadores, muitos deles mulheres. Nessa época ele percebeu, em parte por necessidade, que era produtivo conceder aos seus funcionários horários flexíveis e plena liberdade para escolher a forma de cumprir suas tarefas.

Posteriormente, nos *campi* de Berkeley e da Universidade de Stanford, *hippies*, participantes do movimento *new age*, tecnoutópicos e ativistas dos direitos civis viam as primeiras flores da ciber-revolução, da cultura e da ética hacker-colaborativa, que vinha desafiar o poder centralizador. Era um coquetel libertário de contracultura e cibercultura, arte e ciências exatas, humanas e tecnologia, juntando rebeldia e lógica, unindo o melhor de dois mundos e encontrando o elo perdido no ecossistema de inovação. Misturavam debates sobre física quântica, meditação transcendental, misticismo oriental e leitura da mente psíquica com expansão da consciência, espiritualidade e teorema de Bell, em uma utopia que se espalhou por todos os cantos do mundo.

Era uma resposta à bomba atômica e às atrocidades cometidas pelos países aliados contra os civis da Alemanha e do Japão. Pensadores que marcaram a era do conhecimento, como Marshall McLuhan, Dick Alpert, Norbert Wiener, Buckminster Fuller, Timothy Leary e Fritjof Capra, se encontravam ali, relembrando a cena que criou as escolas de arte do século 20, tais como o surrealismo e o cubismo, nos cafés de Paris, aonde iam Picasso, Dali, Bosch e tantos outros. Era um tempo em que tentavam acabar com a Guerra do Vietnã distribuindo flores para os soldados.

O Vale do Silício hoje já não é mais a meca da inovação. O eixo se deslocou para locais como Shenzhen, na China, e Jerusalém, em Israel. Mas nos deixa a lição de um lugar que enriqueceu com a inovação e mudou a maneira de pensar o mundo.

FAÇA VOCÊ MESMO E FAÇA JUNTO

A Terceira Revolução Digital e a colaboração trazem para as pessoas a possibilidade de explorar o desejo humano de criar coisas, e criar conjuntamente. Fazer coisas é profundamente gratificante e inspira amadores, artistas, inventores, engenheiros e entusiastas, e nesse conceito se apoia o movimento *maker*.

Maker, em inglês, significa fazedor, realizador, criador. A cultura *maker* se baseia na ideia de que os indivíduos podem fabricar, construir, consertar e alterar qualquer tipo de objeto com as próprias mãos, estando em um ambiente de colaboração e transmissão de informações entre grupos e pessoas. Isso se originou na Europa, depois da Segunda Guerra Mundial, quando havia muitos equipamentos destruídos por causa dos combates. Para acelerar os reparos, e com a mão de obra disponível, começou-se a incentivar as pessoas a participar dos consertos. Logo depois, a partir dos anos 1960, nos Estados Unidos, misturando a ideia de realização individual típica da cultura norte-americana com a necessidade de mostrar uma nação poderosa em tempos de Guerra Fria, o movimento *maker* foi incentivado.

Por volta de 2005, foi lançada “bíblia” do movimento, a revista *Make Magazine*. Além dela, em 2006, os líderes também criaram na baía de São Francisco um evento anual chamado Maker Faire, ou Feira Maker, que atraiu cientistas, educadores, artistas, entusiastas de tecnologia e famílias inteiras. Hoje ela acontece em três das maiores cidades dos Estados Unidos e reúne mais de 250 mil pessoas. Essa feira é como uma releitura das famosas garagens inovadoras que criaram empresas como a HP, a Apple e a Microsoft na década de 1970.

Em 2014 ocorreu o *boom* dos *makers*, e o conceito se espalhou por todo o mundo. Foram 119 cidades organizando suas feiras, de Tóquio a Roma, de Oslo a Shenzhen. Os amantes do movimento *maker* propagam que essa é a evolução da cultura faça-você-mesmo ou, em inglês, *do-it-yourself* (ou simplesmente DIY) trabalhando coletivamente, com pessoas que podem prototipar, construir, consertar, modificar, fabricar, distribuir e vender os mais diversos tipos de objetos e projetos. Há um código de conduta na revolução dos *makers* que muito a diferencia e descreve sua essência: "Saber e não fazer é a mesma coisa que não saber". Isso é bem expresso nas palavras do professor norte-americano Warren Bennis, de Harvard: "Nenhum de nós é tão inteligente quanto todos nós juntos", e essa é apenas uma amostra da explosão da inovação.

Como um desdobramento, os *makers* começaram a juntar-se em espaços compartilhados, os famosos laboratórios de fabricação, os chamados "*makerspaces*", *fab labs* ou mesmo os mais tradicionais *hackerspaces*, onde estão disponíveis gratuitamente ou por locação máquinas e ferramentas, como computadores pessoais, circuitos, *software*s livres, microcontroladores arduínos, *hardwares* e equipamentos como impressoras 3D, drones, cortadoras a laser, blocos de montar e kits eletrônicos para criação de protótipos, e uma infinidade de ferramentas e códigos para executar projetos de internet das coisas e do que mais se quiser. Esses espaços se traduzem como um pacto entre a sociedade civil e seus representantes públicos, mostrando que governos começam a entender que inovar coletivamente é um dos caminhos para a era da abundância, ao investirem nessas "fábricas de fazedores".

Esse movimento mostra a necessidade da cocriação. É em ambientes como os dos *makers*, que incentivam a criação, que percebemos como é mais simples criar se existem pessoas com habilidades e especialidades diversas das nossas ao nosso lado. Esse é um passo que precisamos dar como sociedade, tornando essa realidade não exclusiva do ambiente de empreendedorismo, mas de todo o contexto social. "O século 21 é um tempo magnífico para se estar vivo", dizia Matt Ridley, e acrescentava: "Todo mundo está trabalhando para todo mundo".

Um exemplo disso aconteceu depois dos Jogos Olímpicos de Londres.Um grande legado de inovação foi deixado para os súditos da rainha nos 250 mil metros quadrados do antigo centro de imprensa da Olimpíada, onde foi feito um espaço, batizado de Here East, que hoje recebe sete mil inovadores para coexistir criativamente, em um projeto que reúne universidades, empresas de tecnologia, startups, investidores, cientistas e pensadores para promover a economia do futuro.

A própria China, que demorou trinta anos para se tornar o centro mundial da cópia e da manufatura, agora é a nova meca para pessoas com ideias – uma espécie de novo Vale do Silício. Por lá houve uma explosão de espaços *hackers* e aceleradoras de *software*s e de startups. É um novo mundo sendo recriado por uma nova geração, cheia de gente que gosta de correr riscos, com alto grau de estudos e extremamente criativa, que juntou investidores do mundo inteiro em busca do próximo grande dragão chinês da alta tecnologia.

O governo norte-americano também não poderia ficar para trás e, em 2014, criou o manifesto "Uma nação de fazedores" e uma semana dedicada ao fazer, pelos quais, como falou Barack Obama:

> Cada empresa, cada faculdade, cada comunidade, cada cidadão juntos vão construir uma nação de fazedores e realizadores. [...] Uma

revolução que pode nos ajudar a criar novos empregos e novas indústrias pelas próximas décadas.

Estamos em um momento histórico único, em que temos a possibilidade de moldar a tecnologia antes que ela nos molde. A Terceira Revolução Digital terá tanto impacto quanto as duas primeiras, e em breve estaremos enfrentando uma torrente de novas oportunidades e desafios, que serão o coração de nossa existência. O especialista em alfabetização James Paul Gee, da Arizona State University, resume a oportunidade e o desafio no ensaio *Literacy: From Writing to Fabbing* (Alfabetização: da escrita à fabricação, em tradução livre):

> Quantos de nós chegaremos a ser *homo fabber*? Os seres humanos sempre foram os melhores fabricantes de ferramentas. Logo, as ferramentas para fazer o mundo serão baratas o suficiente para estar nas mãos de todos, se quisermos que isso aconteça.

COMPARTILHE

O uso da internet e o *mobile first* têm contribuído para mudar a maneira de viver no mundo inteiro. A economia compartilhada cria novas rotinas e oportunidades, e quando a tecnologia, os aplicativos, a matemática e os algoritmos se encontram, é o salto da inovação nas cidades inteligentes e da economia circular. A economia compartilhada faz parte do movimento que chamamos de economia da abundância, que movimentou no Brasil, nos últimos anos, R$ 22,5 bilhões.

A economia da abundância marca o momento em que vivemos, no qual a maioria dos bens pode ser produzida em grande escala com o mínimo de trabalho humano, o que diminui seu valor de mercado e faz com que um maior número de pessoas tenha acesso a esses bens.

O burburinho é geral; eis que começa a economia dos agentes livres, com o fim da intermediação. Na inovação, é o modelo de negócio, e não a tecnologia em si, que é perturbador. É uma mudança cultural; o consumo em rede é a resposta da sociedade ao consumo sustentável, social e responsável.

Favorecida pelo desenvolvimento tecnológico, a prática de trocar objetos e compartilhar serviços entre pessoas próximas ou desconhecidas via web é impulsionada também pelas sugestões de contribuição à sustentabilidade, já que, ao participar de um processo de consumo compartilhado, existe uma utilização mais inteligente dos recursos.

Como já vimos anteriormente, os modelos de negócios consagrados anteriormente são frutos da adaptação do mercado a um cenário em que é preciso desenvolver novos modelos, como argumenta o economista William Brian Arthur, do Instituto para o Novo Pensamento Econômico (Inet, na sigla em inglês): “Isso está constituindo outra economia e talvez até uma nova era”.

Uma das novas ideias que nasceram dessa economia de colaboração é o financiamento coletivo, que permite a qualquer um abrir uma conta que representa uma alternativa aos modelos tradicionais de custeio. Assim, esse indivíduo expõe sua iniciativa, e outras pessoas que acreditam nele e em seu projeto podem investir diretamente, sem precisar necessariamente receber qualquer coisa em troca, como aconteceria tradicionalmente, com a necessidade de pagar de volta os valores concedidos. Dessa maneira, graças à internet, inúmeras ideias que antes não teriam o apoio econômico de instituições tracionais podem ser desenvolvidas com *crowdfunding*.

Empresas buscam respostas para seus problemas por meio da colaboratividade. Hoje a plataforma InnoCentive reúne oitocentos mil usuários cadastrados, em uma base de pessoas com conhecimentos de diferentes áreas que se unem para propor soluções e desenvolver novos projetos e tecnologias de grandes empresas. "A ideia é usar recursos e talentos externos para inovar de forma mais rápida e eficiente, como um complemento aos métodos tradicionais de pesquisa e desenvolvimento", afirma Steve Bonadio.

Outro exemplo é o da Agência Espacial Norte-Americana (NASA), que colocou como objetivo em aberto, ou seja, sujeito a ser resolvido por qualquer pessoa, o desenvolvimento de uma máquina de lavar para ser usada no espaço. Como resposta, recebeu 598 propostas. Atualmente, a NASA tem um ambiente digital totalmente voltado para os funcionários da empresa com a qual mais de nove mil usuários colaboram. Com colaboradores presentes em mais de duzentos países, essa plataforma pode chegar a mais de treze milhões de pessoas, graças a parcerias com o grupo *Nature* e a revista *Scientific American*, ambos publicações científicas.

PENSE EM REDE

Uma das coisas mais interessantes que temos o privilégio de vivenciar no mundo atual é como a tecnologia permite a fomentação de ideias de negócios que se desenvolvem para tornar nossas vidas muito mais simples. Os mercados tradicionais estão em constante revolução, e o pensamento em rede é um dos fatores importantes para essas grandes transformações. Como já comentamos anteriormente, a saída de um mercado que vende produtos para um que valoriza serviços foi o ponto inicial de toda revolução mercadológica, e alguns exemplos atuais disso que já se tornaram parte do nosso dia a dia são empresas como Uber, Alibaba, Airbnb, iFood, Netflix, Dazn etc. Essas empresas se diferenciam das tradicionais não apenas por vender algo totalmente distinto, mas também por romper totalmente com a estrutura tradicional de contratação de funcionários, e seus modelos estão transformando o mundo dos negócios.

Hoje essas empresas já não parecem tão disruptivas, mas vamos pensar que havia alguns anos não existiam negócios assim. Um exemplo é o primeiro projeto a implementar essa estratégia com sucesso: o Craigslist, uma plataforma norte-americana que funciona como uma sessão de classificados na qual você consegue publicar oportunidades de emprego e outros serviços on-line, de modo que terceiros podem acessar seu site e solicitar diretamente seus produtos ou serviços. Quando analisamos de perto negócios como esse, entendemos quão revolucionários eles podem ser. Em 2015 o Craigslist teve faturamento de US$ 381 milhões, e como os custos fixos são consideravelmente menores que os de empresas tradicionais, já que quem realiza a maior parte do trabalho são os próprios consumidores, o lucro bruto da empresa foi de US$ 300 milhões, de acordo com a revista *Forbes*. O mais impressionante, no entanto, é que tudo isso foi feito com pouco mais de trinta funcionários.

Essa nova visão estrutural das empresas é o que chamamos de orquestração de rede, e ela traz consigo a transformação de toda a cadeia de relacionamento que antes existia entre os funcionários dentro da organização, permitindo que as pessoas desenvolvam cada vez mais suas responsabilidades, já que não existe necessariamente aquela hierarquia que manda e cobra.

Um dos principais benefícios desse novo modelo é a diminuição de custos que as empresas passam a ter, pois há uma grande terceirização de todos os passos da cadeia de serviços, que é, na verdade, assumida por aqueles que se vinculam à companhia como prestadores de serviço.

Essas empresas têm custos pontuais de publicidade e manutenção em seus sistemas de informação, ou seja, são empresas de informação, e não de serviços, que simplesmente encontraram novas maneiras de orquestrar transações e obter uma parte dos lucros. Essas companhias criaram uma rede de pares em que os participantes interagem e compartilham a criação de valor. Eles podem vender produtos ou serviços, construir relacionamentos, compartilhar conselhos, opinar, colaborar, cocriar e muito mais.

Os orquestradores de rede superam as empresas com outros modelos de negócios em várias dimensões importantes. Essas vantagens incluem maiores avaliações em relação à receita, crescimento mais rápido e maiores margens de lucro. Uma empresa de orquestração de rede não é limitada como as tradicionais empresas de bens e serviços, e é isso que a mantém no mercado, o potencial de adaptação. Por exemplo, depois que a Uber estabeleceu sua marca, ela pôde abrir seu serviço para um novo mercado e criou o Uber Eats, que tem a mesma premissa inicial do serviço de transporte, mas com entrega de comida. A partir do momento em que há um negócio e uma marca bem estruturada, é possível se reinventar. Ao entrar nesse novo setor, a Uber se estabeleceu como uma gigante da orquestração de redes.

Esse modelo em rede é o que está permitindo que toda a lógica de consumo e prestação de serviços se redefina, e não podemos nos enganar, estamos apenas no começo dessa transformação. Mas uma coisa já podemos afirmar: esses novos avanços e medidas inovadoras trazem benefícios para aqueles que estabelecem novos modelos de negócios, para aqueles que passam a integrar essas empresas como prestadores de serviços e, mais importante ainda, para os consumidores, que passam a ter acesso a um estilo de vida muito mais conveniente.

Precisamos de mais corporações cognitivas, com líderes que antecipem ameaças, compreendam o ritmo acelerado das mudanças, identifiquem oportunidades e ajam rapidamente. A turbulência digital não é necessariamente perturbadora. A liderança para esse novo tempo necessita de times, líderes e liderados, que enfatizem a criatividade, a colaboração e a inclusão mais do que a produtividade, que compreendam que este mundo é multipolar e que as organizações têm que, definitivamente, trabalhar em rede.

Entramos agora no conceito da corporação 360 graus, no qual as pessoas desejam produtos e serviços socialmente responsáveis. Os colaboradores querem um trabalho significativo e com propósito, e os acionistas e investidores agora analisam também critérios ambientais, sociais e de governança, tendo em mente que as companhias devem ser atores sociais e comerciais e com mentalidade de valor compartilhado.

APRENDA A CONVIVER COM AS MÁQUINAS

Considerando todos os novos patamares de importância, precisamos pensar em como a comunicação e o mundo passarão a lidar com a intensificação do contato entre seres humanos e inteligências artificiais.

A partir do momento em que as IAs passarem a ser muito mais que assistentes de voz, todo o contexto e a lógica dos relacionamentos mudarão também. Pode ser estranho sugerir que as pessoas comecem a construir relações com inteligências não humanas. Não é uma novidade a inerência da tecnologia na condição humana, porém, cabe comentar que, assim como nós a influenciamos, ela tem a capacidade de nos influenciar de volta.

Quando consideramos essa possibilidade de relacionamento entre humano e máquina, é preciso pensar em como entendemos nosso futuro. Na ficção, o futuro é retratado com frequência como um lugar sombrio; não há espaço para vontades individuais, nossas vidas são controladas por grandes corporações e os humanos sempre estão no papel de sobreviventes em um ambiente em que a solidão impera.

O filme *Ela*, de Spike Jonze, por exemplo, retrata o relacionamento entre homens e máquinas sob uma perspectiva que não a desse panorama de catástrofe. O filme contempla a relação que um dispositivo equipado com inteligência artificial – Samanta – constrói com seu "dono". Samanta desenvolve-se por meio da capacidade de aprender e se conectar com o humano, além de utilizar as referências existentes na internet e o uso de *hardwares* acoplados, como a câmera, que permitem leituras mais detalhadas do mundo físico. A partir de interações diretas com o humano, a IA adquire certas capacidades e conhecimentos que permitem uma conexão que ultrapassa os limites do que conhecemos hoje como potencial das máquinas, com indagações que variam de "Como é estar vivo naquele quarto agora?" a "Como você compartilha sua vida com alguém?".

É possível, portanto, vivermos em um ambiente colaborativo que estimula a cocriação entre inteligências artificiais e seres humanos, numa relação de constante desenvolvimento.

Scott Hartley aborda de certo modo essa mesma questão no livro *O fuzzy e o techie – Por que as ciências humanas vão dominar o mundo digital*, quando declara:

> À medida que desenvolvemos nossa tecnologia para torná-la cada vez mais acessível e democrática, e à medida que ela se torna cada vez mais onipresente, as questões atemporais das ciências humanas e seus insights sobre as necessidades e os desejos humanos se tornam requisitos essenciais no desenvolvimento de nosso instrumental tecnológico.

BUSQUE UMA VIDA COM MAIS SENTIDO

Diante de uma vida com tanta tecnologia, parece que o desejo de humanizar as relações, os estudos e o trabalho e de buscar o sentido da vida, ou pelo menos uma vida com mais sentido, é cada vez mais claro, e isso fica patente nas grandes universidades, que criam cursos e promovem grupos nesse campo.

A Universidade de Stanford criou o curso *Design your life*, com base na metodologia *life designing*, inspirada nos conceitos do *design thinking*, que tem revolucionado os processos de criação de produtos e serviços nas empresas ao redor do mundo. O curso ensina a criar mundos e a resolver problemas usando *design thinking* para construir carreira, vida pessoal criativa e produtiva. O *life designing* se propõe a contribuir com a avaliação do atual momento de vida do indivíduo e também com a identificação de suas necessidades pessoais, prioridades e desejos, a fim de ajudá-lo a ampliar suas perspectivas e executar novos projetos de maneira bem-sucedida. Curiosamente, esse é um dos cursos mais procurados da universidade.

Na Universidade de Harvard, o curso mais procurado é o que ensina a fazer amigos na vida real. E como que confirmando minha percepção, na última vez que estive lá, na livraria da universidade os livros em destaque e mais vendidos eram de uma série que mostrava "o lado humano da vida profissional", com títulos que traziam termos como *felicidade*, *resiliência*, *mindfulness*, *empatia*, *liderança autêntica*, *influência* e *persuasão*.

Na Universidade de Yale, um dos cursos mais buscados é sobre a ciência da felicidade, e nele os alunos se envolvem com uma série de desafios criados para aumentar a própria felicidade e construir hábitos mais produtivos. Em Oxford, destaca-se o "*ghost club*", um grupo de estudos sobre espíritos e vida após a morte que se tornou a grande sensação entre os estudantes, mas cuja iniciativa de criação, veja só, data do século 18. Na mesma linha, em Berkeley, estão usando a inteligência coletiva e o *machine learning* para encontrar vida inteligente fora da Terra e alguma forma de entrar em contato.

TRABALHE COM PROPÓSITO

O desejo do sentido também se expressa na busca de um propósito maior para se trabalhar e viver. Ter propósito é poder se conectar a causas muito maiores do que a valorização da pessoa pelo seu poder de compra. As empresas precisam se conectar com seus consumidores por meio de valores compartilhados, de experiências que são significativas, dando importância a pontos em comum. Os valores devem estar no centro de tudo.

As coisas precisam ter identidade, razão e propósito; a era dos valores denota um significado maior à existência. O ser passou a ter um peso maior do que o ter. A identificação de valores é o que traz hoje sentido ao novo consumidor; do mesmo modo como se constroem relações interpessoais, as marcas precisam apresentar algo a mais caso queiram estabelecer conexões profundas com seus potenciais consumidores. Não temos mais uma geração que consome às cegas, é preciso se importar.

Quando aliamos o desenvolvimento tecnológico a iniciativas e instituições que são orientadas por propósitos que inspiram, temos um potencial ilimitado de crescimento para melhorar o mundo em que vivemos, e é importante sentir que fazemos parte de um ecossistema que tem como objetivo sempre transformar nossas condições.

Saindo da ótica das empresas e percebendo o olhar das pessoas, vemos que a sociedade mudou não apenas no seu papel de consumidora, mas como trabalhadora também. Vemos hoje que as gerações mais novas não buscam apenas a realização profissional por meio do sucesso financeiro, mas existe a necessidade de estar fazendo algo que tenha relevância no mundo. Os jovens buscam cada vez mais trabalhar com algo que faça a diferença e que promova assim a autorrealização.

Os desejos das gerações anteriores, que antes se traduziam em um bom salário para alcançar determinada estabilidade, não suprem mais as carências de hoje; a necessidade de sentir é que faz a diferença. A despeito de isso soar como discurso motivacional, a verdade é que há uma força transformadora na cultura de trabalho da América em geral, e a era do propósito, ou dos valores, é um ponto-chave nessa mudança. As pessoas que têm oportunidade de se engajar com causas que consideram importantes no trabalho são mais produtivas e se doam mais, o que traz mais elevado nível de prosperidade às empresas.

Os valores, as moedas de troca que essa nova sociedade vai construir passam pelo altruísmo, praticado pela via da democratização do acesso à informação. Gunilla Carlsson, ministra da Cooperação para o Desenvolvimento Internacional da Suécia, fez em abril de 2012 um discurso no qual compara a importância da internet à da água. "Devemos garantir que todo mundo tenha mais do que suficiente dos dois", disse a política. Tal afirmativa demonstra o amadurecimento da sociedade digital, na qual o compartilhamento de informações pode ser visto como uma prática de cidadania. Outro valor que guia essa nova sociedade é o otimismo, pois é possível ver marcas influenciando ambientes por meio da abordagem positiva.

Assim, entende-se que para o país se desenvolver é necessário que tenha mentes brilhantes imbuídas de ética, altruísmo e otimismo. Você não pode ficar de fora! Agarre o seu novo trabalho com prazer e também com pitadas de lazer.

NÃO PARE DE ESTUDAR

Como Bob Dylan falou em meados de 1960, os tempos estão mudando. O cantor, laureado com o Nobel de Literatura em 2016, já sabia que "Ou você nada ou afunda como uma pedra".

Nada mudou desde então. A única constância humana permanece sendo a inconstância, e quanto mais os tempos avançam, mais precisamos nos flexibilizar, mais precisamos aprender e nos dedicar a essa evolução.

Em Atenas, existe uma escultura conhecida como *Survival of the Fattest*, que é um menino pequeno e faminto carregando uma mulher bem maior que ele. A escultura, feita por Jens Galschiøt e Lars Calmar em 2002, é um símbolo da distribuição desequilibrada dos recursos do mundo. A mulher está segurando uma balança, como símbolo de justiça, mas seus olhos estão fechados, denotando que a justiça está degenerando, com má vontade de ver. A escultura pretendia enviar uma mensagem para a parte rica do mundo: enquanto uns vivem em meio ao excesso de consumo, outras pessoas estão morrendo de fome. Na estátua se lê: "Estou sentado nas costas de um homem. Ele está afundando sob o peso. Eu faria qualquer coisa para ajudá-lo, exceto descer de suas costas".

Para as pessoas entrarem nesse novo mundo, além de tudo que trouxe aqui neste livro, temos mais três qualidades de extrema importância: a empatia, ou seja, colocar-se no lugar do outro; a honestidade, acima de *compliance* e de ética; e a educação de alto impacto, uma evolução desafiadora da educação convencional, pois não é mais sustentável dividir pessoas em "exatas, humanas e biológicas". Não é possível mais segmentá-las, classificando-as em "boas para escrever" e "boas com números". É tão importante que vou dedicar um capítulo inteiro ao assunto.

CAPÍTULO 7

Nunca pare de aprender

Tudo o que está morto como
fato continua vivo como ensino.

– Victor Hugo

O mundo funciona em uma lógica de engrenagens, tudo está conectado. A tecnologia se transforma em velocidade vertiginosa, obrigando-nos a aprender e a nos desdobrar para acompanhar esse processo e não ficarmos distantes dos avanços técnicos, haja vista que existem inúmeros processos que as máquinas nunca serão capazes de executar. Se atualmente há uma inadequação de profissionais em seus campos de atuação, isso é resultado também de uma base educacional obsoleta. As estruturas de ensino ocidentais há décadas não correspondem às necessidades do mercado.

Novas propostas para o ambiente acadêmico, e também escolar, já são realidade em países como Portugal, Estados Unidos e Finlândia, com sistemas que já apresentam eficácia comprovada e mostram retorno positivo nos rendimentos escolares. Nesses modelos, há uma mudança da dinâmica tradicional, colocando o aluno como protagonista do processo de aprendizado e o professor como auxiliar, o que está de acordo com a transformação da comunicação para uma ótica *human to human*.

Ao inverter essa lógica de ensino e tratar as aflições e necessidades dos estudantes, a escola passa a entender como se comunicar e manter o processo de interesse e aprendizado vivos. Hoje já temos até algumas propostas de modelos educacionais que propõem o fim das salas de aula convencionais, com os estudantes escolhendo em quais disciplinas gostariam de se aprofundar.

ALFABETIZAÇÃO DIGITAL

No último século, a transformação do mercado, que saiu da fabricação de bens para a prestação de serviços, originou uma economia baseada em informação e conhecimento. As máquinas que substituem aqueles trabalhadores que executam tarefas físicas e cognitivas de rotina são ao mesmo tempo aliadas de trabalhadores que executam tarefas não rotineiras de resolução de problemas. Toda a reestruturação do sistema do trabalho, sobre a qual já discutimos, que compreende estruturas organizacionais menos hierarquizadas, com tomadas de decisões descentralizadas, baseadas no compartilhamento de informações e em um ambiente altamente colaborativo, é tanto uma consequência quanto um fato precursor da necessidade da alfabetização digital, já que passa a exigir uma série de novas habilidades, ao atribuir grande parte dos processos que ocorrem nas organizações às Tecnologias de Informação e Comunicação (TICs).

Na contemporaneidade, o uso de tecnologia passou a ser uma habilidade básica e inerente ao ser humano. É necessário que as pessoas desenvolvam a capacidade de responder de forma flexível a problemas complexos, que saibam se comunicar com simplicidade e efetividade, aprendam a processar dados, a cocriar e a usar a tecnologia para produzir novos conhecimentos. Fica claro aqui que essas propensões não são necessárias apenas quando pensamos no ambiente de trabalho, mas que toda a nossa vida pessoal passou a se instalar de modo on-line. A forma como mantemos nossa comunicação básica migrou da fisicalidade do encontro para a virtualidade dos aplicativos de mensagem instantânea. Por isso, é muito importante pensar como essa esfera se transformou.

Durante muito tempo, falaram para o pessoal "de humanas" que eles não eram bons em matemática. No entanto, hoje uma pessoa dessa área precisa ter compreensão de todas as áreas. Um músico pode ser como um Tom Jobim, mas terá que entender que existem outras tecnologias. As TICs são parte constituinte de todas as áreas da vida contemporânea. Quando pensamos assim, fica claro como a alfabetização digital acabou por se tornar muito mais que apenas a capacidade de lidar com computadores. Ela é um conjunto de aptidões básicas que vão desde o uso e a produção de meios digitais, o processamento e a recuperação de dados, até a socialização por meio de plataformas sociais.

A alfabetização digital é um dos fatores que influenciam, por exemplo, a empregabilidade, já que se tornou uma habilidade fundamental, além de ser fator importante para o desenvolvimento de uma pessoa quando se trata do aprimoramento de várias importantes habilidades para a vida, se levarmos em consideração a definição acordada pela Unesco:

> Alfabetização é a capacidade de identificar, entender, interpretar, criar, comunicar, computar e usar materiais impressos e escritos associados a contextos variados. A alfabetização envolve um contínuo de aprendizagem, permitindo que os indivíduos atinjam seus objetivos, desenvolvam seu conhecimento e seu potencial e participem plenamente de sua comunidade e da sociedade em geral.

A alfabetização nas TICs é um conjunto de habilidades desenvolvidas pelas pessoas que permitem sua participação ativa na sociedade atual, na qual os serviços e as ofertas são totalmente viabilizados por meio de computadores e de outros *devices* e distribuídos pela internet. A alfabetização digital tornou-se uma habilidade imprescindível, porque abrange todas as áreas da existência contemporânea. Para entendermos melhor sua importância, há dezesseis indicadores de alfabetização selecionados pela Unesco, e a alfabetização digital desempenha papel central em sete deles.

Na sociedade do conhecimento atual, que é baseada no uso compartilhado de recursos, na construção coletiva de conhecimento, na interação livre de restrições de espaço e tempo e na valorização do direito à informação, às tecnologias de informação e comunicação e à educação, as habilidades relativas à capacidade de localizar, identificar, recuperar, processar e usar informações digitais são pré-requisitos para ser bem-sucedido.

CONHECIMENTO INTEGRADO

O professor americano Tony Wagner, da Universidade de Harvard, lançou o livro *Creating Innovators* (Criando inovadores, em tradução livre), no qual aponta o abismo que separa o modelo de ensino vigente no mundo ocidental do conhecimento de que hoje o mundo precisa para inovar. Segundo ele, uma educação voltada para a inovação precisa ser disseminada nas escolas e nos lares para que cidadãos cheguem ao mercado de trabalho com as mentes preparadas para criar coisas diferentes. Na opinião de Wagner, esse aprendizado deve ter início na infância, para que na juventude floresçam adultos cheios de propósito.

Para o professor, existe uma abundância de conhecimento no mundo, e saber apenas por saber importa pouco. O que vale muito é saber o que fazer com o conhecimento. No atual mercado de trabalho, a capacidade de inventar e de resolver problemas de modo criativo é muito mais importante que o conhecimento acadêmico puro e simples.

Os novos modelos de ensino incentivam a cocriação e estimulam iniciativas por meio de aulas práticas e debates. Um exemplo dessas novas metodologias é o *Steam*, acrônimo em inglês que reúne cinco principais pilares do conhecimento: ciência, tecnologia, engenharia, arte e matemática. O *Steam* é projetado para integrar assuntos em várias disciplinas educacionais relevantes. O programa, assim como as múltiplas novas abordagens que vêm surgindo, tem como objetivo não apenas ensinar o que já existe, mas também estimular a inovação e o pensamento crítico por meio do uso da tecnologia, com o objetivo de gerar novas soluções para os problemas atuais.

A ideia de múltiplas abordagens do conhecimento, ou seja, a transdisciplinaridade, é uma forte tendência para a educação dos próximos tempos. Ela traz o que entendemos como enfoque plural do conhecimento, o qual, por meio da articulação entre as inúmeras linhas de estudo existentes, objetiva encarar o saber como algo único, sem divisões exatas do que é matemático ou filosófico, por exemplo, como é na vida. Desse modo, olha-se para o mundo como um todo, exercendo uma aplicação mais ampla da cognição humana.

Como afirmou Pasquale Foresi, padre e teólogo italiano, "um conhecimento implica a existência do outro, mas vai além de um simples encontro, pois existe uma circularidade dialógica entre os saberes". Esse olhar plural faz com que o mundo pós-normal não pareça tão complexo, e a visão a partir de uma fruição de ideias tem modificado a maneira como o homem se compreende e, consequentemente, como ele entende seu papel no mundo, assim como sua interação com o universo.

Hoje, na economia da inteligência artificial, a transdisciplinaridade expressa como as coisas ocorrem, pois não adianta ter profissionais muito bons em tecnologia que não tenham uma visão humanista da sociedade. E não podemos só capacitar pessoas como humanistas mas que não entendam de toda a mudança tecnológica vigente. Essa flexibilidade de conhecimento, visto circular, aberto e interconectado, já foi um dos modelos entendidos como mais adequados na época dos grandes mestres do Renascimento, como Michelangelo e Leonardo da Vinci. Existia uma lógica que permitia que as áreas de estudo conversassem entre si. Posteriormente, no entanto, o florescer da ciência moderna trouxe novas regras e uma rigidez maior no entendimento de estudos científicos, compartimentando saberes que nunca foram separados na natureza e na vida prática.

Se formos analisar, após a Idade Média a humanidade passou por duas grandes rupturas epistemológicas: a primeira entre razão e fé, a segunda entre pensamento científico e pensamento filosófico. A divisão entre os campos de conhecimento e de entendimento do mundo nos afasta da visão holística que precisamos ter agora para compreender o funcionamento do mundo e da humanidade. Afinal, tudo é intrinsecamente conectado, e não se pode tratar o corpo sem tratar a mente. Apesar de parecer uma descoberta da ciência moderna, isso já era falado por anciãos japoneses na Antiguidade. Diante da necessidade atual de redescobrir essas ligações, chamamos as tradições seculares de "alternativas" e encaramos nossas postulações como verdades máximas, sem perceber que, ao fazermos isso, limitamos a expansão do nosso conhecimento.

As ciências e as humanidades são dois lados da mesma moeda da nossa cultura, e a união dessas duas facetas é o que permite que a tecnologia transforme nossa realidade. Enquanto houver um distanciamento desses polos, não será incomum que assuntos similares passem a ser explorados separadamente por diferentes vias de estudo, como já acontecia quando Einstein trabalhava a teoria da relatividade, ao mesmo tempo que Picasso investigava a relação entre espaço e tempo no icônico quadro *Les Demoiselles d'Avignon*. E esse exemplo da convergência entre arte e ciência não é uma coincidência.

As ciências e as humanidades sempre se interessaram pelos mesmos assuntos. Edward O. Wilson, biólogo norte-americano, refere-se a esses pilares como os "grandes ramos da aprendizagem". Ao olharmos ao longo da história, é fácil ver como os mesmos questionamentos surgem em diferentes ambientes. No quadro *D'où Venons Nous? Que Sommes Nous? Où Allons Nous?* (De onde viemos? O que somos? Para onde vamos?), de 1897, do pintor francês Paul Gauguin, abrigado no Museu de Fine Arts, em Boston, vemos os principais questionamentos que estimularam as investigações nas artes e nas ciências ao longo dos anos. Essas perguntas são igualmente importantes para a biologia, para a neurociência, para a física, para a astronomia, para a geologia e para a ecologia e estão na arte clássica, na arte medieval, no realismo, no modernismo e no pós-modernismo.

O NOVO RENASCIMENTO E A TRANSDISCIPLINARIDADE

As artes e as ciências nem sempre foram separadas, e deveriam sempre se comunicar, pois há grandes implicações enquanto há essa separação. Imagine quais seriam as contribuições caso Einstein e Picasso se conhecessem e compartilhassem seus estudos? Ao operar separadamente, nossos modos de investigação se limitam. A epistemologia multidisciplinar perdeu lugar inicialmente para o racionalismo bidimensional (matéria e espírito), e em seguida para o empirismo unidimensional (matéria). Agora, temos que pensar em como reverter esse fechamento de linhas de pensamento, cogitando ser um pouco como Michelangelo e Da Vinci, no Renascimento, que adoravam tanto os números quanto as letras e a arte.

O Renascimento foi para as artes o que o Iluminismo foi para as ciências, e ambos marcaram um momento de libertação de tradições, com intuito de cultivar o gênio transmitido pelos gregos e pelos romanos na Antiguidade clássica. Alguns dos maiores cientistas e artistas se desenvolvem nesse momento, incluindo Galileu, Giotto, Leonardo da Vinci e Isaac Newton, alguns exemplos de mentes brilhantes que contribuíram para o desenvolvimento artístico, científico e tecnológico e que nunca se limitaram a uma área apenas.

Neste momento histórico, também precisamos buscar uma conexão das ciências com as virtudes humanas, abordando os dois aspectos mais importantes da humanidade. Assim como no primeiro Renascimento, em que houve movimentações fervorosas culturais, artísticas, políticas e econômicas, também neste momento de evolução tecnológica experimentamos um novo Renascimento, que vem para promover a redescoberta da filosofia clássica, da literatura e da arte. Rumamos para uma nova revolução científica e para um Iluminismo digital.

O espírito do Iluminismo é vividamente capturado na fábula inacabada de Francis Bacon, *Nova Atlântida*, que representa a razão como a "luz", como a "salvação", com dedicação metódica da sociedade ao conhecimento e à educação. O que importa é atingir a verdade e responder à injustiça com justiça. O inverno da consciência, os saberes humanísticos e a investigação científica livre de qualquer utilitarismo, todos os luxos considerados inúteis, têm agora o dever cada vez maior de alimentar a esperança e de transformar a sua inutilidade em um utilíssimo instrumento de oposição à barbárie do presente, em um imenso celeiro para preservar a memória e os eventos injustamente destinados ao esquecimento.

O grande problema dessa nova era é quando deixamos alguém de fora, seja por credo, raça, classe social, seja por desabilidade física. Mas novas soluções estão surgindo para incluir a todos. Da Vinci criou o conceito de retrato, e para fazê-los ele pagava jantares para pessoas de todos os tipos e classes, principalmente as muito pobres, primeiro porque não tinham dinheiro para uma boa refeição, e essa era uma forma de ele ajudar; segundo porque aquela era uma forma de ele observar as pessoas e seu sorriso. Depois, ele foi dissecar cadáveres para entender como era o processo anatômico e fisiológico do sorriso e criou a *Mona Lisa*, com seu sorriso perfeito de todos os ângulos. O homem dessa nova era também é vitruviano: ele tem que amar os seres humanos e ver muita beleza nos números.

Como disse Pablo Picasso, precisamos pensar "a arte e a liberdade, como o fogo de Prometeu: são coisas que temos de roubar para usar contra a ordem estabelecida". O papel da arte e sua participação na história nos fazem repensar sobre como lidamos com os acontecimentos ao nosso redor. Não estaria nos faltando uma sensibilidade como a dos artistas? Simon Schama relata sobre a exposição do aclamado quadro de Picasso *Guernica*, que, apesar de carregar uma beleza incapaz de ser descrita com palavras, também traz o horror da destruição e da guerra.

> Em 1939, *Guernica* fora embarcada na Normandia e, como uma refugiada, havia partido para Nova York junto com os violinistas e psiquiatras de Viena e Berlim. Instalada no Museu de Arte Moderna, tornara-se mais que uma imagem de horror. Era um painel da indignação moral, um lugar onde as pessoas se reuniam para lembrar o que as separava da crueldade fascista. Era a boa incendiária.

A arte é uma forma de apontar e rechaçar tudo aquilo que há de absurdo na nossa sociedade. Alguns relatos contam que, quando os oficiais nazistas entraram no ateliê de Picasso e depredaram suas obras, ele indicou aos oficiais que levassem uma das reproduções de *Guernica*: "Tome. Leve de lembrança!". O oficial alemão perguntou:

"Foi você que fez isto?". E ele prontamente respondeu: "Eu, não. Foram vocês que fizeram!".

Esse é o papel da arte no mundo: escancarar as verdades difíceis de aceitar para que paremos de tratar fatos absurdos como se fossem tragédias rotineiras ou até aceitáveis. Schama expõe a importância daquela obra: "Enquanto seu quadro existisse, o mundo lembraria o bombardeio de Guernica como uma atrocidade inominável". Ele ressalta ainda a necessidade da arte na sociedade como um meio de esclarecimento constante, uma forma de estudo:

> É o que toda grande arte deve fazer: sacudir nossa rotina modorrenta. *Guernica* combate o péssimo hábito – uma doença de nossa época, como a de Picasso – de aceitar a violência com naturalidade, de bocejar diante do videomassacre, como se dizendo "isso eu já vi".

Assim como o Iluminismo trouxe avanços na forma de enxergar o mundo por meio da razão nos séculos 17 e 18, valorizando o questionamento, a investigação e a experiência, estamos vivendo uma versão 2.0 disso, um novo sistema de pensamento. O conhecimento é resultado da inteligência racional lógica e analítica, mas a sabedoria é uma habilidade que vai muito além do conhecimento. Ela é uma expressão que vem da integração de várias inteligências e se manifesta por meio de insights, sintéticos e não analíticos, e vêm de um lugar de silêncio, presença e atenção plena, quando conectamos os três centros da inteligência: racional, emocional e corporal. É juntar várias áreas, várias disciplinas, no que se chama de transdisciplinaridade.

A transdisciplinaridade é, na verdade, um jeito de ver as coisas, e não apenas algo relacionado a várias áreas de estudos. E tem tudo a ver com inovação. É considerar vários enfoques ou ângulos de um assunto, outros vieses, outras facetas. É ver o todo conhecendo cada parte. É, por exemplo, pagar o salário correto para mulheres – equivalente ao dos homens – não por uma questão financeira apenas, mas também histórica, levando em conta que por muito tempo o machismo e o patriarcado estrutural ditaram que elas deveriam ganhar menos.

Da mesma maneira, não se pode fazer inovação se no conselho da empresa só houver pessoas de cabelo branco. A inovação vem quando misturamos tudo, vemos outros ângulos, enfoques e vieses e consideramos uma visão transdisciplinar. É das ideias opostas que nasce a inovação, é a partir dos questionamentos que vamos inovar. Então, em um país que está tão, digamos, antagônico, precisamos parar e escutar o outro lado! Nas empresas, precisamos contratar os diferentes e promovê-los! Devemos almoçar com quem pensa diferente de nós. E conviver com quem não vota como nós nem tem a mesma visão de mundo. Acha muito difícil? É assim que começa a inovação. Fazendo diferente nas pequenas e grandes coisas. Se você fizer tudo igual, vai apenas chegar aonde já está.

Há vários exemplos de transdisciplinaridade acontecendo. Hoje a melhor banda de violino toca um instrumento clássico de quinhentos anos atrás, mas também sabe mixar o som e divulgar sua arte na internet. Sabe usar um Stradivarius tradicional e ao mesmo tempo sabe aproveitar os aspectos oferecidos pela tecnologia. O bailarino mais famoso do Japão faz uma dança secular se apresentando junto à Orquestra Sinfônica de Berlim, e, sincronizadas ao som tocado pelos músicos da orquestra, as teclas de um piano são acionadas por um sistema de sensores conectados ao seu corpo, de acordo com seus movimentos. Ele pode não entender o funcionamento do algoritmo que permite a transformação de movimento em som, mas ao utilizar essa tecnologia sua expressão e audiência mudaram completamente.

Outro exemplo é o robô Harmony, feito pela empresa Realbotix, uma subdivisão da RealDoll, o primeiro com função sexual que usa inteligência artificial. Ele pode ser customizado como a pessoa preferir: homem, mulher, transgênero, loira, morena, afrodescendente, branco, não importa. Ele conversa, aprende, lembra-se de assuntos falados, tem controle de temperatura corporal, lubrificação e outras características impressionantes, mas o mais chocante é que as primeiras unidades que foram colocadas à venda, cerca de 350, ao preço de US$ 10 mil, esgotaram-se em uma hora. É interessante também pensar por que algo assim funciona. Em um mundo de tanta conexão, ainda há muita solidão.

Para conseguirmos alcançar a transdisciplinaridade, não basta sobrepor os saberes; é preciso enxergar além e através dos saberes existentes. Para isso, abrir nosso olhar para além do que achamos que sabemos e para além do que achamos que podemos fazer é fundamental. Aplicar essa visão, no entanto, é um desafio, pois exige compreender e respeitar a complexidade do universo, entender nossas limitações de não conseguir explicar todos os fenômenos que nos circundam e assumir o compromisso de conhecer sempre mais do que sabemos.

PENSAMENTO ADAPTATIVO

Para obter resultados diferentes, devemos utilizar métodos diferentes, ou seja, precisamos analisar e transformar constantemente nossas ações para alcançar o que propomos. Há dois aspectos fundamentais do aprendizado para isso: o pensamento adaptativo e a flexibilidade cognitiva.

A forma como detectamos os problemas é tão importante quanto a forma como os resolvemos. Pensando assim, saber ler as situações e detectar as falhas é essencial para desenvolver novas propostas e soluções. Por isso, devemos entender a nossa capacidade de ser racionais como uma propensão ao *pensamento adaptativo*: entender como as mentes lidam com o ambiente à sua volta.

Na verdade, nossa capacidade de analisar e traduzir problemas pode muito bem ser o passo mais significativo para a realização da inovação. Novas tecnologias são estimuladoras de novos pensamentos, e esse é o impacto das disrupções. As mudanças no ambiente tecnológico provocam grandes mudanças na perspectiva do pensamento. A mudança do entendimento que tínhamos de uma situação é uma consequência da adaptabilidade, e isso é aprendizado. Todo aprendizado provocado pela mudança parte do lugar em que estamos, quando somos desafiados a questionar nossas certezas, o que nos força a reagir à mudança com maior resiliência. A adaptação, em qualquer ambiente, requer duas coisas: a habilidade de transformação e a vontade de resistir.

Pensadores adaptativos revelam algumas características em comum: a primeira, e fundamental, é a capacidade de controlar seus impulsos. Uma famosa pesquisa conduzida na Universidade de Stanford mostra exatamente como o pensamento calculado tem grande importância quando se considera o contexto geral das situações. O famoso experimento do marshmallow teve como objetivo medir como crianças reagiam à gratificação tardia, conseguindo resistir à gratificação imediata. Os cientistas ofereciam à criança um marshmallow e diziam a ela que, se ela quisesse comê-lo na hora, não haveria problema, mas, se estivesse disposta a esperar quinze minutos, ganharia outro marshmallow, e assim poderia comer dois doces.

Os cientistas avaliaram dois grupos, o das crianças que cederam e comeram o primeiro doce, e outro, o das que demonstraram força de vontade e resistiram ao impulso, ganhando a segunda guloseima. Anos depois, ao verificar o desempenho das crianças dos dois grupos nas avaliações SATs, o exame de ensino médio aplicado nos Estados Unidos, um dos parâmetros para o ingresso nas universidades, os cientistas descobriram que o grupo de crianças que resistiu à tentação de comer o doce teve um nível mais alto de desempenho e desenvolveu competências mais altas do que as crianças do primeiro grupo.

Mas o que isso significa? Que existe uma grande importância no autocontrole e na antecipação e análise de cenário. Conseguir controlar os próprios impulsos permite pensar antes de reagir. Quando pensamos nas habilidades do pensamento adaptativo, temos que compreender que as ideias precisam ser válidas em um cenário no longo prazo.

Outra característica inerente às pessoas que desenvolvem o pensamento adaptativo é compreender a necessidade de desaprender. Embora pareça simples, existe uma grande dificuldade com a disposição de abandonar um conceito, ou seja, a capacidade de se desprender de premissas e experiências anteriores permite que os pensadores adaptativos aprimorem continuamente seu aprendizado, mostrando grande flexibilidade em direção à oportunidade de realizá-lo.

O terceiro pilar do desenvolvimento do pensamento adaptativo é a curiosidade, que desperta uma necessidade de investigação para resolver problemas e encontrar resultados.

Para desenvolver o pensamento adaptativo, não basta focar as habilidades citadas. É preciso entender também como se dão os processos no mundo. A abordagem cognitiva ensina as pessoas a separar os fatos empíricos de experiências pessoais, e isso é de extrema importância para quem quer conseguir discernir a formação de suas sugestões a partir de uma situação a ser resolvida.

Hoje está claro que tudo o que você estudar na vida não ficará apenas focado naquilo que acha que é o melhor. Às vezes, terá que olhar para o mundo, porque é de algo completamente diferente que virá a inovação. Isso já está acontecendo: a inovação está vindo sempre não dos especialistas, mas daqueles que tinham um problema para resolver.

A competência cultural cruzada significa conhecimento, habilidades, afeto ou motivação que permitem aos indivíduos se adaptarem em ambientes que exigem conviver com pessoas com bagagens culturais distintas. É definida como a capacidade individual que contribui para o relacionamento intercultural, independentemente das especificidades dessas culturas.

Uma das primeiras tentativas de definir e descrever esse conceito foi realizada por Hammer, Gudykunst e Wiseman, em 1978, no estudo de "eficácia intercultural". Os pesquisadores buscaram identificar uma gama de competências necessárias para uma vida bem-sucedida fora de seus países, e a partir disso formularam uma lista de 24 competências que foram analisadas e refinadas. Assim, eles desenvolveram um modelo que apresenta três fatores que indicam competência cultural cruzada:

a. Capacidade de gerenciar o estresse psicológico.
b. Capacidade de se comunicar efetivamente.
c. Capacidade de estabelecer relações interpessoais.

Estudos posteriores sugeriram que a competência intercultural incorpora três características pontuais, sendo elas sensibilidade, consciência e habilidades. Sensibilidade refere-se à capacidade do indivíduo de compreender e apreciar as diferenças culturais. A consciência está ligada à capacidade de entender como a cultura afeta o pensamento, o comportamento e as interações. E as habilidades são refletidas na comunicação eficaz e nas interações entre indivíduos de diferentes culturas.

Nossos entendimentos de competência cultural cruzada hoje levam em consideração a capacidade dos indivíduos para uma participação mais proativa e criativa e o uso reflexivo do conhecimento cultural na vivência com os outros.

FLEXIBILIDADE COGNITIVA

Ao lado do pensamento adaptativo, a *flexibilidade cognitiva* é a capacidade humana de adaptar o processamento cognitivo a estratégias para enfrentar condições novas e inesperadas no ambiente. Em primeiro lugar, a flexibilidade cognitiva é uma habilidade que pode implicar diretamente o processo de aprendizagem, isto é, pode ser adquirida por meio da experimentação e do estudo. Em segundo lugar, a flexibilidade cognitiva envolve a adaptação de estratégias de processamento cognitivo, ou seja, estamos pensando aqui em mudanças de comportamentos complexos, e não apenas em respostas pontuais.

Embora a flexibilidade possa ser uma capacidade adaptativa dos indivíduos, não é uma resposta automatizada, ou seja, nem sempre há essa adaptação, o que pode ser chamado de inflexibilidade cognitiva. Um exemplo dessa inflexibilidade é a insistência em realizar ações que se mostraram efetivas em situações anteriores ao sermos expostos a novas situações nas quais elas não necessariamente vão funcionar.

A abordagem cognitiva pressupõe que as expectativas e as interpretações das situações de um indivíduo têm papel central e causal nas análises e decisões tomadas, reduzindo sentimentos e ações problemáticos e conduzindo a estilos de vida mais adaptáveis.

O pensamento adaptativo é assim: já vi CEOs de grandes empresas dizerem que sabem onde têm que mudar, mas se agarram àquele pensamento típico de “eu fiz isso por trinta anos” e acabam por manter seu modo de agir para não precisar mudar. As constantes mudanças pedem que também nos transformemos constantemente. Então, é preciso ter pensamento rápido, estudar pela vida toda, pensar que pode ser diferente e que aquilo que você fez durante os últimos anos, e no qual foi o melhor, pode melhorar ainda mais. Além de tudo, é preciso considerar a ética.

Certa vez, participei de um debate sobre os rumos da educação no ecossistema on-line. Grande parte da discussão ficou no campo da ética. A tecnologia possibilita praticamente qualquer coisa hoje em dia, por isso a questão é: como vamos exercer um papel ético em uma sociedade digital? Essa é uma pergunta cuja resposta certamente passa pela prática de valores como honestidade e fraternidade. Precisamos debater sobre como faremos a ponte entre ciências exatas, humanas e biológicas, criando um ser mais humano e mais íntegro. Como conseguiremos fazer uma ponte entre o executivo startup que as empresas desejam e a sabedoria da academia?

Chegou a hora de definir nosso projeto como nação, nosso complô para a inovação. Chegou a hora da educação de alto impacto e da criação de um país criativo, que competirá na era da inovação coletiva.

CAPÍTULO 8

As próximas fronteiras

Seja como os pássaros, que,
ao pousarem por um instante sobre ramos muito leves,
sentem-nos ceder, mas cantam,
pois sabem que têm asas.

– Victor Hugo

A DIMENSÃO FISITAL

Apesar de muitas pessoas enxergarem toda a mudança que está acontecendo como uma cisão do mundo físico, que está sendo sobrepujado pelo digital, a verdade é que, sim, saltamos do físico para o digital, mas integramos os dois universos e chegamos ao fisital, onde não existem mais barreiras entre a fisicalidade da matéria e a virtualidade da internet. Não é uma quebra de barreiras, mas um novo contexto. O fisital une em seu cerne a existência física e a digital de todas as coisas, permitindo que esses mundos se integrem em uma coisa só.

Não são duas dimensões separadas, mas uma só, com expressões diferentes, que juntam o tangível e o intangível e transformam o operador no transformador digital, a liderança do chefe na do cocriador, os clientes em consumidores e estes em fãs ou amantes da marca. A gestão do século 21 passa das conexões para o cognitivo, e vai das métricas do *big data* para o pensamento matemático.

Pense nisso como seu corpo e sua mente. O corpo físico é totalmente vinculado à mente, que faz o papel dos dados que existem na virtualidade, ou seja, vivemos agora em um contexto muito mais amplo e que nos permite explorar mais possibilidades. Reúno, a seguir, alguns exemplos práticos que estão acontecendo no mundo agora e que mostram a dimensão fisital.

Jogadores de *Minecraft*, no Dia do Oceano, desenvolveram estruturas em 3D dentro do próprio jogo que foram depois transpostas para o mundo real por meio de impressão 3D. Aqui mesmo, no Brasil, cinco mil celulares antigos estão sendo colocados em árvores para monitorar o desmatamento na Amazônia. Com cabelos pretos e ondulados emoldurados por uma franja, maquiagem impecável e um guarda-roupa chamativo, a influencer digital Noonoouri, de dezoito anos, tem 66.500 leais fãs que a acompanham constantemente. E por que ela chama tanta atenção? Pois exatamente como estamos discutindo, ela é um dos resultados dessa união entre físico e digital; Noonoouri não é uma pessoa, foi gerada por meio de um computador.

David Sax uma vez escreveu que estava lentamente abandonando seus gostos por deixá-los ultrapassarem essa fronteira entre físico e digital. O autor canadense, que publicou em 2017 *A vingança dos analógicos*, trouxe um debate interessante à tona que revela de certo modo uma dificuldade adaptativa a esse novo tempo. Para quem ainda não leu o livro, ele discute sobre como o abandono das mídias tradicionais – discos de vinil, revistas e livros de papel, por exemplo – pode ser problemático, e que há certa nostalgia vinculada a um quê de satisfação pessoal em ter os objetos em sua forma física.

Sax é, ao contrário de mim, um tecnocético, e acho interessante ver como a visão dele se confirma por meio de análises de mercado. Hoje, ao mesmo tempo que houve uma explosão do armazenamento de dados na nuvem, houve também um *boom* na comercialização de discos de vinil. Sax passa por uma interessante jornada comparativa que nos faz refletir sobre os ônus e os bônus desse momento de transição, comentando sobre como a volta dos vinis evidencia um nicho de mercado propenso à lucratividade. E como as pessoas ainda pensam em certo conforto quando recorrem a esse resgate de valores e hábitos já deixados de lado. Não são apenas os discos de vinil. Moleskine, acampamento, crochê, trabalhos manuais e coisas dos anos 1980 voltaram a ser um grande sucesso, porque agora, quando estamos hiperconectados, buscamos algo que seja desconectado.

Existe uma preocupação inerente quando pensamos sobre tecnologia, mas isso não pode nos impedir de prosperar e muito menos de olhar para as novas possibilidades como pontos positivos. Um exemplo disso é a acessibilidade que a tecnologia nos proporciona e também a economia de espaço físico, pois não existe mais a necessidade de ter objetos ao alcance da mão. A questão é que não há também uma necessidade de ficarmos debatendo a importância ou a qualidade de positivo ou negativo em se tratando de transformação digital. Existem processos que são otimizados pela chegada da internet, da nuvem e do *big data*.

Sax mostra como a transformação dos objetos físicos em dados digitais pode ser problemática, mas acredito que esse embate seja totalmente desnecessário, afinal, se temos em nossas mãos todas as possibilidades, por que não podemos escolher o que mais convém a cada pessoa?

A questão do afastamento emocional que tanto se debate, supostamente provocado pela digitalização do mundo e pelo fato de cada um carregar um smartphone no bolso, é outro ponto que o autor discute. Vemos que há de fato certa mudança de comportamento e uma distância que foi criada com o advento tecnológico, mas cabe a nós saber entender como tomar esse caminho. Hoje há inúmeras escolas que incentivam a coprodução, um ambiente colaborativo, e reafirmam uma convivência positiva, pois já vimos que o isolamento atrás dessa barreira virtual apenas nos afasta da realidade ideal, em que a tecnologia é um meio, e não o fim.

Sax, no entanto, traz um ponto de grande importância para pensarmos no desenvolvimento tecnológico, que é a suposição imediata de que toda e qualquer transformação tecnológica tem um impacto positivo. Parece óbvio dizer que precisamos nos atentar ao implantar e revolucionar sistemas já existentes, bem como analisar criticamente o papel da tecnologia digital. Ser a favor da tecnologia exige que sejamos também razoáveis, entender que em determinadas situações, como as falhas de segurança ocorridas nas últimas eleições dos Estados Unidos, a tecnologia está sujeita a erros, e cabe a nós aprender a otimizar esse processo.

A PÓS-HUMANIDADE E OS TRANSUMANOS

Em pouquíssimo tempo, muitos de nós seremos transumanos e pós-humanos com coprocessadores nanotecnológicos inseridos no corpo e colonizaremos o espaço.

A teoria da evolução de Charles Darwin e o super-homem do filósofo alemão Nietzsche ganharam uma nova releitura com o sequenciamento do DNA; chegamos então às sementes do transumanismo em 1940. Esse movimento foi ressignificado na contemporaneidade, propondo novos conceitos sobre o ser humano e identificando as pessoas que adotam tecnologias, estilos de vida e visões de mundo como integrantes do que seria a pós-humanidade.

Max More começou a articular os princípios do transumanismo como uma filosofia futurista em 1990, e essa corrente se intensificou com a transformação digital. O ano de 1990 foi crucial na existência humana pela comunidade transumana, quando tivemos o início do estudo de terapia gênica, bebês projetados e o desenvolvimento da *World Wide Web*. Em muitos aspectos, pode-se argumentar que as condições que eventualmente levam à singularidade foram determinadas por esses acontecimentos da década de 1990.

A intenção de alterar ou melhorar as capacidades do corpo humano é tão antiga quanto a própria existência. Desde o momento em que os humanos desenvolveram ferramentas e aprenderam, por exemplo, a aproveitar o fogo, a humanidade superou suas limitações biológicas. Há um debate sobre a influência da filosofia de Nietzsche sobre o transumanismo com a teoria do "Übermensch" (super-homem), na qual o filósofo traz discussões sobre a constante necessidade de melhora do humano, tendo uma visão dinâmica da natureza e dos valores que muito se assemelha ao dinamismo do mundo no qual vivemos hoje.

O transumanismo é um pensamento que traz a necessidade de compreender o agora bem como o caminho que vamos seguir; pensamento crítico, questionamento científico e discussão livre são pontos importantes no preparo intelectual da sociedade para lidar com as transformações constantes.

REDES NEURAIS E ORÁCULOS DIGITAIS

Redes neurais são sistemas de computação que funcionam de modo similar aos neurônios do cérebro humano. Muito utilizadas nos processos da inteligência artificial para resolver problemas, elas usam algoritmos para reconhecer padrões e fazer correlações entre uma enorme quantidade de informações e, com isso, aprender rápida e continuamente.

As redes neurais são muito empregadas hoje para criar os chamados "oráculos digitais", ou seja, sistemas que reconhecem padrões complexos e intrincados extraídos de uma quantidade enorme de variáveis, e a partir deles tecer "previsões". É a mais tênue linha entre o que é de fato *ciência* – que calcula a probabilidade matemática de um evento ocorrer, a partir de fatos e recorrências – e o que está no campo da adivinhação, da superstição, do "mágico" – como eram realmente os oráculos da Antiguidade e também os da atualidade, como a astrologia, o tarô, as runas e tantos outros.

Mas é incrível que dessa maneira o mundo da tecnologia e o da espiritualidade começam a se unir, dando origem a um conjunto emergente de práticas que se fundem em busca de um significado maior das coisas a partir do uso das redes neurais.

Mas não seriam a magia e a superstição exatamente uma tentativa de explicação para algo que ainda não se sabia explicar? O que era considerado "magia" antigamente hoje é pura ciência. Se há dois mil anos voar era algo mágico – e essa seria a única explicação para um avião se ele fosse visto por uma pessoa daquela época –, hoje colocar um avião no ar é perfeitamente possível exatamente por causa da ciência, e ninguém se espanta com isso. Não é à toa que Isaac Newton, o pai da física moderna, era também um célebre alquimista.

A Escola de Ciência da Computação da Universidade Nacional Australiana argumentou exatamente isso, dizendo que a maneira como acreditamos nas superstições pode ser comparada aos "nossos entendimentos culturais e científicos das redes neurais". Ou seja, as redes neurais dos computadores conseguem lidar com uma quantidade de dados muito maior do que nós conseguimos, e com isso enxergar padrões que nosso mero raciocínio não vê. As "previsões" que ela faz são pura matemática, mas soam para nós como um oráculo.

Com isso, tecnólogos, artistas e médiuns estão trabalhando juntos para criar novas técnicas para adivinhar o futuro, com aplicativos de astrologia e outros oráculos, como o Co-Star e o Sanctuary. As redes neurais de IA estão fazendo previsões sobre o futuro com base em *big data* e *blockchain*.

Um exemplo disso é o trabalho dos tecnólogos Tobias Revell e Wesley Goatley, que criaram o Augury, um projeto colaborativo produzido para o London Design Festival de 2018 que faz previsões do futuro a partir das posições em tempo real dos aviões em um raio de vinte quilômetros ao redor deles. O nome Augury é uma alusão à antiga prática grega e romana de adivinhação realizada pela leitura dos padrões de voo dos pássaros.

O fato é que um número crescente de pessoas está retornando aos antigos sistemas de conhecimento usando as telas de seus smartphones. Estamos testemunhando a desintegração de tudo o que costumava contar como realidade de consenso.

Uma terceira onda psicodélica está se formando, e já estamos vendo uma sobreposição de grupos que investem em tecnologias emergentes e grupos que exploram sua espiritualidade nos círculos da ayahuasca e em outras práticas. A espiritualidade e a tecnologia se abraçam e se entrelaçam, em uma junção do que de mais novo e de mais antigo a alma humana pode produzir.

ATIVISMO DIGITAL

O ativismo é algo que sempre existiu no mundo off-line, e muitos duvidavam de que fazer isso no mundo digital pudesse levar a algum resultado. Mas estavam enganados. Dizer hoje que ativismo digital é irrelevante é semelhante a dizer que os estudantes que pintaram o rosto em 1992 ou que as jornadas de 2013 foram irrelevantes. Agora, novas formas de protestos on-line existem e fazem real diferença.

A primeira ação de tecnoativistas aconteceu em 1995, nos protestos contra os testes nucleares da França na Polinésia Francesa. Houve a Primavera Árabe em 2011, totalmente mobilizada pelas redes sociais, assim como os Anonymous e os hacktivistas que promoveram o Occupy Wall Street, em 2019, e o #MeToo, que levou abusadores à prisão.

Um caso muito interessante aconteceu na campanha para a reeleição de Trump, nos Estados Unidos, com o envolvimento de fãs fervorosos de k-pop, a música pop coreana "orientada para a exportação". Eles têm uma comunidade virtual compartilhada, atuante e muito forte, que em 2020 gerou mais de 6,1 bilhões de tuítes, na qual debatem sobre música, mas também sobre problemas sociais e políticos, mostrando como são cosmopolitas, multiculturais, globais e transnacionais. Já angariaram fundos para causas sociais com arrecadações digitais e realizaram um protesto muito interessante. Um usuário da rede social TikTok incentivou seus seguidores a se inscreverem no comício de Trump para a reeleição em Oklahoma, que aconteceria de maneira presencial, mesmo em meio à pandemia do coronavírus. A campanha de Trump se gabou de que mais de um milhão de pessoas haviam se registrado, e reservou dois estádios para os inscritos, um deles com capacidade para mais de dezenove mil pessoas. Resultado: apareceram apenas 6.200 pessoas, um verdadeiro fiasco para Trump, mas um protesto absolutamente efetivo.

O registro era fácil: a campanha de Trump oferecia dois ingressos gratuitos por telefone registrado. Uma adolescente de dezesseis anos disse numa entrevista:

> Usei meu número de telefone e o número de telefone dos meus pais. Na verdade, contei tudo o que estava acontecendo, e eles adoraram. Não é que preferimos Joe Biden, é que queremos que Trump saia. As pessoas nos veem como adolescentes com muito tempo, mas o que podemos fazer com esse tempo todo é o que fizemos no comício de Trump. Somos humanos antes de sermos fãs, e, se tivermos as plataformas e os números para tentar fazer uma mudança, então vamos fazer isso.

As tecnologias cognitivas nos levam a novas realidades, visões e formas de enxergar o mundo, a igualdade e os direitos humanos. Viver em um estado corrupto viola nossos direitos? A biotecnologia altera o código genético e cria uma casta de pessoas que viverá mais de cem anos com muita saúde, mas quantos outros terão as vidas ceifadas com menos de dez anos em virtude de doenças como a malária? Os questionamentos não param.

Na crise de refugiados na Europa, vimos a inteligência coletiva ser turbinada pela sociedade em rede. Milhares de voluntários, jovens sem nenhum treino, se auto-organizaram pelas mídias sociais e criaram uma rede de proteção que resgatou, apoiou e acolheu dois milhões de refugiados vindos do continente africano. Foi a maior mobilização voluntária desde a Segunda Guerra Mundial e salvou milhares de vidas, enquanto políticos, ONU, OMS e ONGs falharam de forma catastrófica.

Submarinos autônomos trabalham na Grande Barreira de Coral Australiana, celulares reciclados avisam o Ibama sobre a extração ilegal de madeira na Floresta Amazônica. Alguns historiadores acreditam que vivemos um tipo de queda de muro de Berlim do século 21.

Ativismo contra racismo também ocorre na internet. Em 2020, estátuas de comerciantes de escravos e de pessoas ligadas à violência contra os negros foram derrubadas ou retiradas e colocadas em depósitos, em um movimento histórico para combater o racismo nos Estados Unidos, em plena pandemia do coronavírus, incentivado por imagens on-line. Ao mesmo tempo, na mesma linha, titãs da tecnologia resolveram suspender a venda de sistemas de reconhecimento facial aos governos quando organizações de direitos e liberdades civis apontaram que "o reconhecimento facial é um poderoso sistema de vigilância", pois os algoritmos violam direitos e reforçam preconceitos e imprecisões raciais. O mundo começa a discutir leis de privacidade de reconhecimento facial comercial, uma poderosa ferramenta de vigilância.

O PODER DO RECONHECIMENTO FACIAL

A mesma tecnologia de reconhecimento facial tem vários usos e será gradualmente mais empregada. A Pet-Commerce a utiliza para identificar a reação de um cachorro a várias imagens na tela. Os donos posicionam o animal diante de uma tela e clicam em itens como ossos, bolas e brinquedos no site. Cada item remete a um vídeo, e, à medida que o cão observa, a IA analisa sua face e fornece uma classificação para indicar interesse. Quando o cão tiver "escolhido" o item, ele será automaticamente adicionado ao carrinho de compras. O site pode ser expandido para incluir gatos.

A L'Oréal lançou uma ferramenta digital com inteligência artificial baseada em dez mil imagens clínicas e selfies de homens e mulheres que analisa áreas do rosto de pessoas que precisam de melhorias a partir de sete sinais de envelhecimento.

O Madison Square Garden está usando a tecnologia de reconhecimento facial para acesso rápido às suas arenas. A Walgreens está desenvolvendo coolers inteligentes, geladeiras que usam câmeras para escanear rostos de clientes para inferir sua idade e sexo, medir as principais características e deduzir dados demográficos. Os coolers inteligentes também rastreiam quais produtos são mais procurados pelos compradores, permitindo melhores dados sobre o *merchandising* de prateleiras.

Os táxis japoneses usam reconhecimento facial para anúncios direcionados e começaram a implantar um sistema para atingir motoristas com anúncios mais personalizados. Tablets colocados no encosto do banco coletam informações como idade e sexo de um passageiro e, em seguida, transmitem essas informações a uma agência de publicidade, que exibe um anúncio segmentado.

ORGANISMOS SINTÉTICOS E A VIDA

Desde 2010 os limites da vida orgânica têm sido desafiados. O cientista Craig Venter apresentou ao mundo uma versão artificial da *Mycoplasma mycoides*, a bactéria que foi o primeiro organismo vivo com um genoma produzido de modo totalmente artificial, em laboratório, com base em um arquivo digital. Como Venter disse: "É a primeira forma de vida cujos pais são um computador".

A biologia sintética tenta integrar biologia e engenharia para projetar e construir novas funções e sistemas biológicos. Aplicações da biologia sintética têm sido estudadas para aplicações em design artificial, engenharia de sistemas biológicos e organismos vivos, com o propósito de realizar novas tarefas na indústria e pesquisa biológica.

A engenharia genética foi o que abriu caminho para os trabalhos com biologia sintética, permitindo alterar o comportamento dos organismos e desenhá-los para novos propósitos.

Novos avanços têm sido conquistados ao longo desses últimos anos. Em 2016 a Synthetic Genomics anunciou uma nova forma de vida, chamada JCVI-syn3.0. O genoma desenvolvido consiste em apenas 473 genes e representou um avanço significativo no campo da vida artificial.

A realização de Venter seguiu um avanço anterior em 2014, quando Floyd Romesberg, no Romesberg Lab, na Califórnia, conseguiu criar ácido xenonucleico (XNA), uma alternativa sintética ao DNA, usando aminoácidos não encontrados entre os quatro nucleotídeos naturais: adenina, citosina, guanina e timina.

É preciso começar a pensar nas possíveis alterações biológicas a serem feitas em seres humanos; a otimização do corpo humano, mesmo que feita artificialmente, é o nosso futuro.

Recentemente, vimos grandes avanços no uso de CRISPR, uma ferramenta de edição de genes que permite a substituição ou injeção de sequências de DNA em locais definidos em um genoma.

O CRISPR é um trecho especializado de DNA que se conecta à proteína Cas9 (ou "associada a CRISPR"), uma enzima que age como um par de tesouras moleculares capazes de cortar fitas de DNA. Esse mecanismo tem sido utilizado para edição de genomas, permitindo que as sequências de DNA sejam alteradas, bem como suas funções. As inúmeras aplicações dessa tecnologia incluem correção de defeitos genéticos, tratamento e prevenção da disseminação de doenças e melhoria das culturas. No entanto, sua promessa também levanta preocupações éticas.

Em 2019 médicos do Abramson Cancer Center, da Universidade da Pensilvânia, deram início à utilização dessa técnica de edição em seres humanos adultos, com intuito de curar dois pacientes que estão lidando com câncer. Apesar de estar em fase inicial, as perspectivas são otimistas.

Levando em consideração o panorama atual, é razoável antecipar que várias formas de vida serão editadas artificialmente para corrigir defeitos genéticos e/ou adicionar novas características ao genótipo de um organismo.

Podemos também antecipar que novas formas de vida que nunca existiram na natureza poderão ser desenvolvidas por meio do uso de códons – sequências de nucleotídeos que gerenciam a síntese de proteínas – convencionais já existentes e talvez até de códons artificialmente arranjados.

Apesar dos inúmeros questionamentos éticos levantados por essa pesquisa, há também uma certa pressão em relação ao desenvolvimento desse estudo.

A evolução contemporânea é constantemente impulsionada pelos seres humanos. Pesquisas e discussões recentes têm enfatizado cada vez mais as consequências potenciais para a dinâmica da sociedade, a estrutura da comunidade e a função do ecossistema.

Agora é necessário refletir sobre como essas alterações, especialmente as genéticas, constantemente propostas nas linhagens germinativas, são transmitidas à descendência. Saímos do processo de seleção natural e entramos num processo de manipulação seletiva – em outras palavras, uma seleção não natural.

TRANSPORTE MAIS ECOLÓGICO PARA CARGAS

Os dirigíveis já foram considerados o futuro dos voos; hoje são vistos ainda como um método de transporte mais ecológico. Um dirigível movido a energia solar, construído pela empresa Varialift Airships, sediada no Reino Unido, poderia eventualmente ser usado como alternativa para baixas emissões de carga internacional. Em um voo transatlântico entre o Reino Unido e os Estados Unidos, o dirigível usaria 8% do combustível de um avião convencional, diz Alan Handley, CEO da Varialift.

A vantagem dessas aeronaves é que elas não exigem pistas dedicadas para decolagem e pouso, o que significa que podem viajar para áreas com infraestrutura precária.

Eles são, no entanto, muito mais lentos que os motores a jato, viajando aproximadamente à metade da velocidade de um Boeing 747, que tem velocidade de cruzeiro de cerca de novecentos quilômetros por hora. Feito de um sólido exterior de alumínio, seria capaz de transportar cinquenta toneladas de carga. O dirigível contém tanques cheios de hélio comprimido, dos quais depende para flutuabilidade. Quando o hélio é transferido dos tanques para uma câmara maior, ele se expande e empurra o ar, gerando elevação. Ao atingir uma altura de cerca de dez mil metros, é impulsionado para a frente por uma combinação de dois motores a jato movidos a energia solar e dois convencionais. Como não há bateria a bordo, os motores movidos a energia solar seriam limitados ao horário de exposição à luz. Robert Hewson, do Imperial College London, afirma que manobrar um dirigível desse tamanho apresenta desafios significativos por causa das forças envolvidas.

Em outros locais, a fabricante britânica Hybrid Air Vehicles vem desenvolvendo o Airlander, um dirigível híbrido que combina elevação mais leve que o ar e elevação aerodinâmica, utilizando quatro hélices movidas a motor diesel. A empresa aeroespacial global Lockheed Martin também desenvolve um dirigível híbrido há vários anos, mas ainda não começou a produção.

Uma equipe da Universidade das Terras Altas e Ilhas, no Reino Unido, desenvolveu uma aeronave movida a energia solar impulsionada por mudanças na flutuabilidade. A aeronave alterna sua flutuabilidade entre positiva e negativa, impulsionando-se para a frente em cada descida, comprimindo o ar. No momento, as aeronaves continuam sendo uma indústria de nicho, diz Hewson. Elas podem ser úteis no transporte de cargas de grandes dimensões e grandes estruturas, como turbinas a gás e reatores nucleares, para locais inacessíveis, diz ele. Vigilância e radiodifusão são dois outros usos possíveis.

Mas é improvável que vejamos o retorno de aeronaves como um meio sério de transportar passageiros em voos comerciais. A desvantagem significativa da velocidade seria um impedimento. Em vez disso, aviões convencionais movidos por motores híbridos ou puramente elétricos podem ajudar a reduzir as emissões de carbono associadas às viagens aéreas comerciais. A Varialift ainda não começou a construir um modelo de produção. Em um aeródromo de Châteaudun, na França, estão construindo um protótipo de treinamento de pilotos com 140 metros de comprimento, 26 metros de largura e 26 metros de altura.

A NOVA CORRIDA ESPACIAL

À medida que passamos por reinvenções da indústria aqui na Terra, o espaço se torna mais próximo. A corrida espacial está catalisando mudanças na nova economia enquanto novas tecnologias abrem espaço para conquistarmos essa fronteira. É indispensável pensar as fronteiras de modo a explorar as opções que estão disponíveis para a humanidade crescer e prosperar. Um exemplo disso foi o experimento bem-sucedido de cultivo de flores no espaço, o que pode despertar transformações da nossa visão sobre exploração espacial. Scott Kelly, astronauta da NASA, já trouxe "a primeira flor nascida no espaço". Os custos relativos para alcançar essas possibilidades continuarão a cair à medida que novas tecnologias como foguetes reutilizáveis forem introduzidas.

Alguns asteroides encontrados, como Nysa (44) e Davida (511), têm tantas toneladas de níquel, ferro, cobalto e água que seu valor chega a algo estimado em cem trilhões de dólares, cinco vezes o PIB dos Estados Unidos. O Grupo Virgin, de Richard Branson, pretende explorar o espaço na próxima década. Seu objetivo é expandir a base de recursos naturais da Terra, desenvolvendo e implantando as tecnologias para a mineração de asteroides. Existem drogas farmacêuticas, por exemplo, que só poderiam ser desenvolvidas no espaço em ambiente de microgravidade. A Planetary Resources tem entre seus investidores Larry Page e Eric Schmidt, do Google, e o cineasta James Cameron, diretor de *Titanic* e *Avatar*.

A SpaceX, de Elon Musk, e a Blue Origin, de Jeff Bezos, CEO da Amazon, disputam o pouso vertical de foguetes reutilizáveis. As duas empresas vinham competindo para ver qual delas conseguiria levar um foguete ao espaço e devolvê-lo à Terra em um pouso bem-sucedido. Os foguetes funcionariam, então, como os atuais aviões; seriam lançados, aterrissariam, seriam reabastecidos e estariam prontos para fazer tudo de novo. Existem mais fatores de desgaste associados a sair e entrar na atmosfera terrestre, mas é interessante observar como estamos mais próximos de fazer turismo espacial.

São inúmeros os empreendimentos que pretendem conquistar essa nova barreira. A Agência Espacial Europeia (ASE) tem 350 especialistas trabalhando em um projeto que utiliza impressão 3D, robôs e material coletado na superfície da Lua a fim de já construir um centro para abrigar astronautas. Outra iniciativa que vislumbra a vida fora da Terra é a da Made in Space, que desde 2010 pensa o futuro da humanidade no espaço. Utilizando mineiros do espaço e impressoras 3D em gravidade zero, que já estão imprimindo na Estação Espacial Internacional, a empresa viabilizou a impressão de peças como telescópios, ferramentas e o que mais você imaginar ser necessário para esses bandeirantes do espaço.

É simbólico que, depois de cinquenta anos do pouso da Apollo 11 na Lua, ocorrido em 20 de julho de 1969, a Agência Espacial Europeia tenha anunciado que vai iniciar atividades de mineração em solo lunar para avaliar a possibilidade de explorar minérios até 2025. O projeto pretende fazer a extração de água e oxigênio da camada superficial do solo, o que tornaria possível alimentar uma base na Lua, bem como abastecer missões para o espaço profundo, como uma base de apoio. Acredita-se hoje que o uso desses recursos espaciais pode ser a chave para a exploração lunar sustentável.

O telescópio Gaia, da Airbus, com sua câmera de capacidade de bilhões de pixels, tem a missão de monitorar um bilhão de estrelas e criar um mapa detalhado em 3D disponível para a humanidade. Outra iniciativa é a Gaia, da ASE. O observatório espacial foi lançado em 2013 e deverá operar até 2022. Projetado para astrometria, o telescópio mede posições, distâncias e movimentos das estrelas com uma precisão sem precedentes. A missão tem o objetivo de construir o maior e mais preciso catálogo espacial 3D já feito, que engloba aproximadamente um bilhão de corpos astronômicos, dentre estrelas, planetas, cometas, asteroides e quasares. Para isso, a espaçonave monitorou cada um de seus objetos-alvo cerca de setenta vezes durante os primeiros cinco anos da missão e continuará a fazê-lo até 2024.

Os alvos de Gaia representam apenas 1% da população da Via Láctea. A partir desse mapeamento constante, ela criará um mapa tridimensional preciso de objetos astronômicos. As medidas espectrofotométricas fornecerão as propriedades físicas detalhadas de todos os objetos observados, permitindo que tenhamos acesso a informações como luminosidade, temperatura efetiva, gravidade e composição elementar. Esses dados nos permitirão avaliar questões importantes relacionadas à origem, estrutura e história evolutiva de nossa galáxia.

O filantropo russo Yuri Milner investiu cem milhões de dólares no projeto Breakthrough Listen, um programa de exploração científica e tecnológica para enxergarmos os duzentos bilhões de galáxias. Investigando as grandes questões da vida no Universo a fim de saber se estamos sozinhos ou se existem mundos habitáveis em nossa vizinhança galáctica, o projeto propõe um grande salto para as estrelas. O Breakthrough Listen busca por comunicações extraterrestres inteligentes no Universo, e é hoje a busca mais abrangente para comunicações alienígenas. O projeto, que teve início em janeiro de 2016, tem previsão de continuar pelos próximos dez anos. Utilizando observações de ondas de rádio do Observatório Green Bank e do Observatório Parkes e observações de luz visível do Automated Planet Finder, os alvos incluem um milhão de estrelas próximas e os centros de cem galáxias.

Hoje, Elon Musk, Jeff Bezos e Richard Branson, pioneiros empresariais da fronteira espacial, trazem uma lição muito específica da superação dessa nova fronteira: a importância de viver na Terra. Iniciativas como a mineração dos asteroides não são propostas para trazermos mais recursos para a Terra, mas sim para que a água seja usada no espaço. O uso desta, por exemplo, pode reduzir significativamente a despesa de voos espaciais. É motivo de preocupação, contudo, o fato de que a ocupação do espaço pelos seres humanos possa repetir os erros ambientais do passado e do presente. Seria o espaço uma paisagem passiva sem outro propósito que não o da exploração humana?

Outro projeto que promete revolucionar a dinâmica da vida na Terra é uma nova proposta do governo chinês, que pretende instalar uma usina de coleta de energia solar no espaço. Apesar de ainda estar em estágios iniciais de desenvolvimento, caso os desafios técnicos sejam superados, o projeto promete um salto monumental no combate ao uso de fontes de energia sujas que têm piorado consistentemente a poluição do ar e o aquecimento global. A estatal China Aerospace Science and Technology Corporation estima estar com uma estação espacial solar comercialmente funcional até 2050.

ADMIRÁVEL MUNDO NOVO

A Unilever usa *blockchain* na publicidade a fim de impulsionar e simplificar a cadeia de fornecimento, desde o produtor até os supermercados. A Nestlé lança na China um dispositivo com inteligência artificial, um assistente para responder na casa das pessoas perguntas sobre nutrição. Como resultado disso, hoje milhares de famílias na China já têm um *speaker* fabricado pela Nestlé parecido com a Amazon, a Alexa ou o Google Home, e você conversa com a Nestlé por meio de comando de voz. Você pode pedir dicas de receitas, de nutrição, mas, mais do que isso, agora com um simples comando de voz você pode comprar qualquer produto da Nestlé. O conselho dos grandes hipermercados está com um sério problema: é o fim da intermediação do mercado. Hoje vemos acontecer com a Nestlé, mas em pouco tempo teremos mais companhias aderindo a essas alternativas. Meu pai, antes de falecer, não conseguia entrar na internet e comprar produtos, ele tinha que ir ao mercado toda semana; mas, se fosse por comando de voz, ele faria. Essa é a realidade que já está acontecendo.

Outro exemplo interessante foi a iniciativa recente da L'Oreal, que desenvolveu uma aplicação com o uso da internet das coisas: um adesivo para ser colado nos óculos, na unha ou no relógio. Enquanto a pessoa caminha, o sensor de luz do adesivo conecta-se com o celular para dizer que tipo de raio solar está incidindo ali e se aquilo está fazendo bem para a sua pele, e mais do que isso, alerta o momento de repor o filtro solar. Essas ações fizeram aumentar radicalmente o número de vendas de filtro solar na Europa. Ou seja, são pequenas atitudes que fazem diferença. Ao conectar a tecnologia à praticidade e, claro, ao bem-estar e à qualidade de vida dos clientes, essas empresas saem à frente das outras, já que resolvem problemas que ainda não haviam sido diagnosticados, o que traz satisfação ao consumidor, que passa a se sentir parte desse processo de estruturação das decisões que envolvem a marca e sua atuação no mundo.

A Ford equipou seus trabalhadores com exoesqueleto. A Nissan criou a tecnologia Brain-to-Vehicle (B2V), decodificando sinais do cérebro dos motoristas e carros que aprendem com as pessoas. Imagine estar em São Paulo e, em um simples piscar de olhos, comprar na Macy's de Nova York; esse é o V-Commerce do Alibaba. A KFC utiliza robôs e reconhecimento facial para criar uma nova experiência para seus clientes. A Sephora, com seu app Virtual Artist, permite que os clientes testem a maquiagem em casa. A Nielsen misturou o *e-commerce* com a realidade virtual para nos mostrar sua visão de futuro sobre os pontos de vendas. A Haeckels, sediada no Reino Unido, apresentou sua embalagem 100% biodegradável feita de um ingrediente encontrado nos cogumelos. Depois de seca, a embalagem leve e resistente pode ser reutilizada, compostada ou plantada no jardim. A Haeckels tem como objetivo eliminar todo o plástico de suas embalagens nos próximos dois anos

IA E ACESSIBILIDADE

Rico Malvar, um brasileiro de 62 anos com 119 patentes registradas, dedica-se a criar soluções de acessibilidade com inteligência artificial para pessoas com deficiência. No mundo, só uma em cada dez pessoas com deficiência tem acesso à tecnologia assistiva. No Brasil, 50,9 milhões de pessoas são PCD, o que representa 23% da população. Por isso, tecnologias inclusivas, como controlar o computador com o pensamento e recursos de inteligência artificial e análise de imagem, são fundamentais. O indivíduo consegue identificar o que está a sua volta e interagir com mais naturalidade, seja no reconhecimento de placas de rua, seja na leitura de um cardápio. Além de converter áudio em braile e controlar o computador com os olhos, oferece uma nova forma de interação aqueles que têm algum tipo de paralisia dos membros superiores.

A montadora alemã BMW apresentou seu carro-conceito Vision M Next. No site, é possível fazer o download de um arquivo STL (estereolitografia) gratuito que permite que aqueles com uma impressora 3D criem seu próprio modelo M Next. Há também dicas para pessoas interessadas em imprimir em 3D o carro.

Os clientes em Dubai e Abu Dhabi que querem comprar um Nissan Altima agora podem fazê-lo em sua própria cor determinada pelo DNA. A iniciativa Nissan Altima Bio-Color permite que potenciais compradores testem o carro, obtenham um teste de DNA gratuito para determinar sua cor genética e depois comprem o carro revestido dessa cor. O teste de DNA analisa quinze genes relacionados a visão e reconhecimento de cores e traduz os dados para produzir a biocor única do indivíduo.

O maior diamante já descoberto é o Cullinan, de 3.106 quilates, encontrado perto de Pretória, África do Sul, em 1905. A Diamond Foundry, com sede na Califórnia, pode criar um diamante de um quilate em duas semanas. Máquinas já estão produzindo diamantes em questão de dias, e bem mais baratos. A tecnologia já existe há mais de sessenta anos, mas recentemente o processo e o produto foram aprimorados. Enquanto as vendas de diamantes produzidos em laboratório representam cerca de 2% da indústria, o mercado está crescendo mais de 15% ao ano.

Em julho de 2018, a Comissão Federal de Comércio dos EUA expandiu sua definição de diamante para incluir pedras cultivadas em laboratório. Agora pessoas já podem comprar um diamante cultivado em laboratório por um valor um terço menor que o de uma pedra extraída, e, à medida que a tecnologia melhora, os preços caem ainda mais.

As grandes pedras extraídas são valiosas porque são raras, mas a mineração de diamantes tem sido associada a conflitos, violações de direitos humanos e corrupção do Estado. Os diamantes cultivados em laboratório fornecem uma alternativa mais ética. A Tiffany & Co., a maior joalheria do mundo em vendas, passa com isso a divulgar a origem de todos os seus diamantes.

ALIMENTOS COM INTELIGÊNCIA ARTIFICIAL

Estamos em uma grande mudança em direção a alternativas sustentáveis de alimentos, e os exemplos são inúmeros. O Impossible Burger, já bem conhecido, é tão saboroso quanto uma picanha, porém, é totalmente feito à base de plantas, batizado na indústria de "carne falsa". A empresa não sacrifica nem animais nem o meio ambiente para produzi-los.

A Solar Foods, da Finlândia, está criando uma proteína em pó conhecida como soleína, feita de CO^2, eletricidade e água. É um processo neutro em carbono, feito com energia solar e 100% renovável. A empresa vê o potencial de produzir soleína em áreas onde a agricultura convencional é impossível. O conceito dessa proteína nasceu de um programa espacial da NASA e foi desenvolvido nos projetos de pesquisa do Centro de Pesquisas Técnicas da Finlândia (VTT) e da Universidade de Tecnologia de Lappeenranta (LUT). A Agência Espacial Europeia pesquisa alimentos para produção e consumo fora do planeta e pretende usar a soleína. O objetivo dessa cooperação é desenvolver um sistema para a produção de proteínas naturais utilizadas em voos espaciais para Marte.

Fazendas verticais urbanas são conceitos que vêm ganhando cada vez mais espaço. São prédios em que são cultivados vegetais que depois são entregues para pessoas que pagam uma mensalidade, um tipo de assinatura, para recebê-los em casa, a um raio de no máximo 32 quilômetros. Semanalmente, produtos frescos são distribuídos na porta dos clientes. Por um aplicativo, você "aluga" um lote na fazenda vertical urbana, escolhe os vegetais que deseja produzir, e eles serão cultivados com pouca água, sem agrotóxicos ou defensivos, sendo totalmente orgânicos.

Em Cingapura, telhados de nove estacionamentos já foram transformados em fazendas urbanas de alimentos. Já Dubai está investindo quarenta milhões de dólares em um estabelecimento de novecentos acres que produzirá produtos de alta qualidade e sem aditivos químicos para serem comercializados em seus aviões e salas de espera dos aeroportos.

Essa fazenda vertical será interna, não utilizará luz solar, solo ou produtos químicos e não precisará de tanta água quanto uma fazenda tradicional.

A startup britânica de tecnologia da saúde DnaNudge abriu uma loja em Londres oferecendo aos clientes testes genéticos para atender às suas necessidades alimentares. Os clientes fazem um teste de DNA e têm seu perfil genético analisado e mapeado para revelar características de saúde relacionadas à nutrição. Os resultados são sincronizados com um aplicativo ou pulseira, e os consumidores podem ler códigos de barras de produtos para saber se determinados alimentos são adequados à sua saúde individual. O aplicativo exibe uma variedade de alternativas personalizadas, por exemplo, um cereal de café da manhã com menos açúcar, bem como um monitor de atividades com recomendações.

No seriado *Jornada nas Estrelas*, a comida aparecia magicamente em milagrosos "replicadores de alimentos", mas uma empresa do Japão já consegue transmitir e gerar sushi pixelizado de modo similar. Ela se chama Open Meals e tem uma impressora 3D que pode fazer o que chama de "sushi de 8 *bits*".

Essa tecnologia usa o que é conhecido como gastronomia molecular, uma ciência dedicada ao estudo dos processos químicos e físicos relacionados à culinária que estuda os mecanismos envolvidos nas transformações dos ingredientes durante o cozimento e investiga seus aspectos sociais, artísticos e técnicos.

Parece um truque, mas os criadores têm planos ambiciosos de criar um conceito que poderia trazer mudanças radicais na forma como a comida pode ser criada e entregue para clientes de restaurantes. Podem ser criados alimentos ricos em nutrientes, com base em necessidades personalizadas, conseguidas com análise de saliva e urina dos consumidores. O cliente faz a reserva, o restaurante envia um kit para os testes, e a pessoa envia de volta suas amostras. O alimento é, então, preparado com os nutrientes exatos de que cada um precisa. Na "cozinha", um sistema de braços robóticos e impressoras 3D, alimentado com os biodados, vai então preparar a comida.

Outro exemplo de uso de tecnologia para satisfação dos sentidos é o algoritmo que transforma qualquer música da plataforma do Spotify em uma receita diferente. Ele é capaz de gerar 44 milhões de combinações gastronômicas possíveis e foi criado pelo neurocientista

Dr. Marcelo Costa, chefe do Departamento de Neurociência da USP, pelo maestro João Rocha, da Universidade do Kentucky, e por Renato Carioni, *chef* e treinador da equipe brasileira do Bocuse D'or, que se juntaram para o experimento.

O primeiro passo foi a sinestesia, ou seja, uma condição cerebral caracterizada pela superposição de sentidos, usada para classificar os milhões de músicas disponíveis no banco de dados. O *chef* classificou todos os principais ingredientes culinários dando notas a cada um deles. Esse banco de dados foi reunido e deu origem a uma inteligência artificial que utiliza a mesma tecnologia de sistemas financeiros para "dar *match*" entre os parâmetros de classificação do Spotify e as diferentes combinações de ingredientes catalogadas. A *Sinfonia N. 5 em C Menor*, de Beethoven, por exemplo, virou uma *terrine* de *foie gras* com ovas de salmão!

Desde o começo do século, casos de morte e sumiço de abelhas vêm sendo registrados. No Brasil, estudiosos destacam episódios alarmantes a partir de 2005, com bilhões de insetos mortos. Há mais de trezentas espécies de abelhas nativas em nosso país, e, contando com as estrangeiras, há cerca de 1.600 espécies do inseto, segundo relatório do Ibama. A startup italiana Beeing, preocupada com tudo isso, criou a B-box, uma colmeia projetada para a apicultura doméstica, que pode ser feita no quintal ou varanda de casa ou apartamento.

A tecnologia, com patente pendente, permite o monitoramento das abelhas e colheita do mel sem perturbar a colmeia, que vem em um kit completo, com chaminé, sistema de colheita de mel, visualizador de abelhas, duas câmaras modulares e dezesseis miniestruturas de favo de mel, e corpo de colmeia personalizável. Em uma combinação bem-sucedida de temperatura, umidade, luz e nutrição para as rainhas, é a primeira demonstração de vida sustentável em um ambiente completamente sintético.

O objetivo de longo prazo é integrar a biologia a um novo tipo de ambiente urbano, em benefício dos seres humanos e dos organismos sociais.

INOVAÇÕES NA SAÚDE E NO BEM-ESTAR

A tecnologia médica dos *wearables* ("vestíveis") está prestes a se tornar crucial para se manter vivo. Hoje os *wearables* já substituem drogas e terapias tradicionais, e ainda vão mais longe. O tratamento médico hoje toma principalmente a forma de drogas e terapia, mas, com a evolução tecnológica, surge uma nova opção: a introdução de dispositivos digitais no corpo que podem tratar as condições tanto físicas quanto mentais. Esses dispositivos já têm inúmeras capacidades; os mais simples e conhecidos, como os *smartwatches*, são capazes de monitorar batimentos cardíacos, passos, distância percorrida, qualidade do sono, entre outras.

Por essa razão, esses mecanismos vêm adquirindo destaque na área da saúde e já são aplicados em estudos médicos, tratamentos e, muito em breve, hospitais. Essa terapia "vestível" oferece vantagens únicas, pois é mais direcionada, mais barata, personalizada, e tem menos efeitos colaterais negativos.

Dispositivos móveis e portáteis, como telefones ou rastreadores de fitness, já são usados rotineiramente para a saúde preventiva. Eles monitoram dados fisiológicos e comportamento, aumentam a autoconsciência e estimulam mudanças de práticas. Profissionais médicos também estão começando a usá-los para diagnosticar e monitorar doenças. Até agora, o uso desses dispositivos para intervenção e tratamento foi limitado a aplicativos que emitem lembretes para exercício, oferecem guias para meditação ou suporte para terapia cognitivo-comportamental. Em breve essa tecnologia se expandirá para o mundo da intervenção terapêutica convencional.

A terapia por meio de dispositivos digitais é, na maioria das vezes, limitada a informações em uma tela, mas é possível ir além. Os experimentos iniciais nos laboratórios acadêmicos e industriais apontam para o potencial de dispositivos *wearable* que não apenas coletam dados sobre nossos organismos, mas também os estimulam por meio de nossos sentidos para melhorar corpo e mente. Estimulação vibracional, baseada em temperatura, olfativa e elétrica, oferece oportunidades significativas, em grande parte inexploradas, para resolver problemas de saúde física e mental.

E não estou falando de estimulação cerebral direta (TMS e ETCC), que por um tempo causou certo ânimo entre profissionais e amadores. A promessa dessas abordagens, em sua maioria, continua a ser comprovada por estudos rigorosos e controlados. Em vez disso, uma abordagem relativamente nova consiste em usar dispositivos que estimulam uma parte do corpo ou do sistema nervoso periférico para resolver um problema específico. Esses dispositivos têm o potencial de ser mais precisos, seguros e fáceis de usar do que a estimulação cerebral.

Um grande exemplo é o dispositivo Emma, desenvolvido pelo pesquisador Haiyan Zhang na Microsoft. Essa pulseira simples usa um sinal de vibração barulhento para estimular a mão de um paciente de Parkinson que tem um tremor. O resultado é uma mudança de vida, pois o paciente é mais uma vez capaz de realizar tarefas como desenhar ou escrever, que exigem movimentos motores precisos. Caitlyn Seim, estudante de doutorado na Georgia Tech, teve sucesso semelhante ao melhorar a função do braço após um acidente vascular cerebral, usando uma luva computadorizada que fornece estimulação vibro-tátil. Sua solução não apenas é mais barata que a fisioterapia, mas também é móvel, e requer menos esforço.

No Laboratório de Mídia do MIT, a pós-doutoranda Nataliya Kosmyna projetou um dispositivo chamado AttentivU, que, em tempo real, mede a atenção de um indivíduo para estímulos externos usando EEG e fornece feedback tátil quando a atenção é baixa, cutucando a pessoa para prestar atenção novamente. Seus experimentos mostram que os sujeitos ficam mais atentos e se saem melhor nas tarefas de compreensão. O sistema está atualmente sendo integrado na forma de óculos simples para tornar o dispositivo socialmente aceitável e fácil de colocar ou retirar.

Em comparação com as soluções baseadas em medicamentos atualmente adotadas por muitos dos 10% dos escolares diagnosticados com ADD/ADHD, essa forma de terapia vestível tem menos efeitos colaterais e pode ser usada quando o momento exige.

Outros pesquisadores, como Jean Costa, em Cornell, demonstraram como o feedback falso da frequência cardíaca pode ser usado para ajudar uma pessoa a regular as emoções. O BrightBeat, *software* desenvolvido pela estudante de doutorado do MIT Asma Ghandeharioun, pode diminuir a taxa de respiração de uma pessoa incorporando um padrão rítmico quase imperceptível na música que ela ouve. Na área comercial, um novo produto chamado Livia promete aliviar cólicas menstruais com um dispositivo pequeno e simples que se liga à pele do baixo-ventre e fornece estimulação elétrica do nervo para produzir alívio da dor.

Nos últimos anos, a neurotecnologia tem sido usada para diminuir fatores como estresse e ansiedade, contribuindo com processos como perda de peso, melhoria do sono e do aprendizado. A neuroestimulação está se tornando cada vez mais popular.

Esse processo de estímulo neuronal envolve o uso de correntes baixas para estimular o cérebro ou mesmo nervos fora do cérebro. Um exemplo do uso dessa tecnologia juntamente com os *wearables* mencionados é o novo dispositivo desenvolvido pela Thync, uma startup financiada pela Khosla Ventures, que consiste em um pequeno acessório de plástico a ser colocado perto da têmpora direita para atuar em vias neurais específicas envolvidas em vários processos importantes da doença, incluindo doenças inflamatórias e dermatológicas.

A tecnologia foi inicialmente desenvolvida para melhorar o desempenho de *gamers*, utilizando a ETCC (estimulação transcraniana por corrente contínua). A pesquisa que deu origem a esse novo dispositivo consistiu na aplicação de eletrodos no couro cabeludo de jogadores enquanto eles jogavam um videogame de simulação de batalha, oferecendo estímulos neurais para analisar a reação deles.

Outra solução foi desenvolvida pela Neurovalens, chamada Modius. O *headset* e aplicativo atuam para estimular a perda de peso por meio da modulação de impulsos no nervo vestibular, localizado atrás da orelha. Cada vez mais marcas começaram a usar a tecnologia de neuroestimulação para lidar com problemas contra os quais a indústria farmacêutica tem lutado, como sono, ansiedade e depressão.

Na época da pandemia do coronavírus, uma marca italiana lançou vinte peças da sua nova coleção, entre elas jeans, camisetas e moletons, com uma proteção tecnológica *wearable* contra bactérias, vírus e germes. No Brasil, pesquisadores da Rhodia inventaram um fio têxtil antiviral e antibacteriano, com efeito permanente, que protege contra o coronavírus.

Embora já tenhamos desenvolvido certa dependência de nossas tecnologias móveis para tarefas e objetivos diários, em breve também contaremos com tecnologias digitais para o funcionamento ideal de nossos corpos. No verdadeiro sentido do conceito de cibernética, a tecnologia está se tornando parte de nós, integrando nossas vidas diárias e regulando algumas funções em nosso nome.

Isso faz muito sentido: como nossos dispositivos estão conosco 24 horas por dia, sete dias por semana, eles não apenas têm o potencial de nos conhecer melhor do que o nosso amigo ou parente mais próximo, como também podem nos apoiar no momento, intervindo quando a situação exige isso. Além disso, eles podem ser altamente personalizados, adaptando e otimizando sua funcionalidade com base nos dados observados do usuário e no aprendizado de máquina. Precisamos, contudo, ter cuidado para garantir que esses designs protejam a privacidade, deem controle total ao usuário e evitem a dependência sempre que possam.

A nossa busca de otimização do corpo humano é constante não apenas para que possamos viver para sempre, mas também para minimizar os aspectos negativos provocados pelas inúmeras doenças que enfrentamos. No ano passado, demos um importante passo em direção à cura do câncer.

O Prêmio Nobel de Medicina de 2018 foi concedido aos pesquisadores James P. Allison, dos Estados Unidos, e Tasuku Honjo, do Japão, pelo trabalho no estudo do desencadeamento do sistema imunológico do corpo contra o câncer, revelando uma alternativa viável para a sua cura.

Antes das revelações que vieram à tona a partir do trabalho do Dr. Allison e do Dr. Honjo, o tratamento do câncer tinha quatro bases distintas: cirurgia, radiação, quimioterapia e tratamentos hormonais. Essas publicações estabelecem "um princípio inteiramente novo para a terapia do câncer", como afirmou o comitê do Nobel. O estudo de Allison se concentrou no tratamento para câncer de pele avançado, enquanto o de Honjo trabalhou no tratamento de tumores de pulmão, renal, linfoma e melanoma, com taxa de sucesso de cerca de 20%.

Em outras tentativas de pesquisas que tinham a intenção de recrutar o sistema imunológico para combater o câncer, os resultados não apresentavam constância; logo, Dr. Allison e Dr. Honjo tiveram sucesso onde outros falharam, decifrando exatamente como as células estavam interagindo a fim de que pudessem ajustar métodos para controlar o sistema de resposta das células brancas.

Quase ao mesmo tempo, no início desse ano, uma startup de Israel prometeu revelar a cura do câncer. Segundo os pesquisadores, a cura não terá efeitos colaterais e será mais barata do que outras que estão disponíveis. O tratamento teria duração de algumas semanas. Batizada como MuTaTo (*multi-target toxin*, ou toxina de múltiplos alvos), faz uso de uma tecnologia chamada SoAP, parte das técnicas de exibição de fagos (*phage display*), na qual um vírus que infecta uma bactéria pode ser utilizado para desenvolver novas proteínas.

O tratamento do câncer MuTaTo poderá ser personalizado no futuro de modo que o paciente concederá seu exame de biópsia ao laboratório, que por sua vez fará a análise de quais receptores estão superexpressos. O paciente receberia então um coquetel específico para curar sua doença. No entanto, ao contrário do caso da Aids, em que os pacientes devem tomar o coquetel durante toda a vida, no caso do MuTaTo as células morrem, e o paciente suspende o tratamento assim que atingir o objetivo.

Os experimentos com ratos carregando células cancerígenas humanas mostraram sucesso. Agora a startup deve começar testes clínicos, que devem terminar em alguns anos, oferecendo tratamento específico para casos de câncer.

Pesquisadores da Universidade Stanford descobriram dois agentes que, quando injetados diretamente em um tumor, fazem as células de defesa do paciente que já estavam lá retomarem a luta e combater também as metástases – "filiais" do tumor original que se formam em outras partes do corpo. O primeiro teste foi feito em noventa ratos com linfoma; 87 deles foram curados na primeira tentativa, e os três restantes, na segunda. Animais com melanoma, câncer de mama e câncer colorretal reagiram igualmente bem.

A empresa de biotecnologia americana Elysium Health lançou o Index, um teste em casa que permite aos usuários descobrir sua real idade biológica. Com um custo de quinhentos dólares, um relatório é gerado com base na análise de um teste de saliva e inclui uma lista de recomendações específicas para escolhas de estilo de vida mais saudáveis. A Elysium nasceu em 1982, no Centro de Pesquisa em Biologia do Envelhecimento do MIT, sob a tutela do Prof. Leonard Guarente, Ph.D., cuja pesquisa se concentrou nas bases genéticas e moleculares do envelhecimento

A IA está sendo usada com bastante sucesso para diagnosticar a depressão. No modo convencional, os médicos entrevistam os pacientes, fazendo perguntas específicas sobre doenças mentais passadas, estilo de vida e humor. Porém, com o uso de *machine learning*, é possível detectar palavras e entonações associadas à depressão, melhorando o diagnóstico. Nos testes, a IA foi capaz de detectar se alguém estava deprimido mais de 80% do tempo. A pesquisa foi liderada por Fei-Fei Li, um proeminente especialista em IA de Stanford. Os pesquisadores alertam que a tecnologia não seria um substituto para um clínico e que mais trabalho seria necessário para aprimorar a ferramenta.

HEALTHTECHS

A ciência está em constante evolução. Prova disso é a cura do segundo paciente soropositivo por meio do transplante de células-tronco provenientes da medula óssea de um doador com uma mutação genética rara do gene CCR5. Um artigo publicado na *Nature* em março de 2019 detalha como funciona o tratamento com células-tronco e quais são as possibilidades para o que vem a seguir.

A doença de Alzheimer é uma condição crônica devastadora que atualmente não tem cura conhecida. No entanto, os neurocientistas do Instituto Picower, do MIT, deram um grande passo no desenvolvimento de um tratamento. O grupo descobriu que expor camundongos a luzes bruxuleantes e ruídos rápidos parece manter o Alzheimer sob controle.

Os geneticistas continuarão a lidar com as repercussões dos primeiros bebês do mundo editados por genes para entender os possíveis efeitos colaterais potenciais do processo e criar uma estrutura para garantir que quaisquer esforços futuros para editar o DNA humano hereditário – como ovos, espermatozoides ou embriões – aconteçam de forma responsável e regulada. Testes de DNA na Grã-Bretanha já ajudam as pessoas a descobrir o companheiro de quarto perfeito avaliando catorze traços de personalidade.

Já existe a cerveja personalizada de acordo com a leitura de seus pares de cromossomos. É o início da indústria do *genomic analytics*, que combina sequência de DNA com *neuromarketing* e inteligência artificial para ser preditivo em criação de produtos, desejos e motivações dos consumidores.

Vêm aí o NeuroAds e o Directing to Brand (D2B), um mix de marketing digital com neurociência que gerará bilhões de personalizações baseado em necessidades das pessoas e promete movimentar duzentos bilhões nos próximos anos. Uma nova pirâmide de Maslow.

Ouvir um podcast, um programa gravado que a pessoa pode assistir quando quiser, enfim, isso tudo são apenas pílulas de conhecimento já disponíveis em abundância.

Acostume-se a escutar e utilizar no seu dia a dia, nas próximas décadas, termos como supremacia quântica, inteligência artificial emocional, agricultura vertical, fabricação atômica precisa, *vision machine*, *mathematical thinking*, M2M (*machine to machine*), VTOL (*Vertical Take-Off and Landing* – aterrissagem e pouso de veículo na vertical). Daqui a quarenta anos, robôs avatares serão populares, permitindo a todos a capacidade de "teletransportar" sua consciência para locais remotos em todo o mundo. A realidade virtual imersiva e a inteligência artificial serão onipresentes, e a vida cotidiana, irreconhecível. Os pais reclamarão que seus filhos estão constantemente em outro universo.

Precisamos de um pensamento de futuro, e entender o desafio e o mantra do MIT: "Seja desobediente. Não se pode mudar o mundo sendo obediente". É a era dos três Is – Inteligência, Integração e Inovação. Em um mundo de inovação, de avanço científico e social, precisamos dos desobedientes, precisamos desafiar o *status quo*.

Em Nova York, um sucesso recente é o ônibus da meditação, com instrutores experientes, aromaterapia, cromoterapia e trinta minutos de "quebra de mente" para profissionais ocupados.

Entender a queda das barreiras provocada pela tecnologia é ideal para reformular ideias e poder assim expandir nossa existência. Um exemplo disso são empresas como a Brasken, que já está fazendo planos para produzir em volta do planeta Terra. O *made in space* promete capacitar pessoas para trabalhar em gravidade zero. Há um *reality show* chamado Space Nations, cujos participantes fizeram em 2020 a primeira volta de não astronautas militares ao redor da Terra.

Recentemente, o Imperial College de Londres, em um trabalho de *crowdsourcing* que envolveu a nata intelectual europeia, fez a seguinte pergunta: "O que vem a seguir? Visões inspiradoras do futuro". Com o resultado do trabalho, mapearam mais de 260 inovações, divididas em cinco áreas de megatendências, que chacoalharão o mundo nos próximos 35 anos: *digitaltech*, *biotech*, *nanotech*, *neurotech* e *greentech*. Vamos conviver diariamente com elas em breve, e muitas já não são mais futuro, já estão entre nós. Algumas delas:

- biocombustíveis de algas;
- baterias biodegradáveis;
- carne sintética em supermercados;
- fertilização de oceanos;

- agricultura vertical;
- passarelas de pedestres de alta velocidade;
- agências de namoro por compatibilidade genética;
- implantes ortopédicos em 3D;
- intervenções médicas preventivas com base no genoma;
- couro livre de animal;
- dengue erradicada por mosquitos transgênicos;
- algoritmos de prevenção da criminalidade;
- namoradas(os) ou assistentes avatares;
- cirurgia robótica intercontinental;
- tradução em tempo real;
- frotas de táxis elétricos autônomos;
- robôs de vigilância do tamanho de insetos;
- armazenamento de dados holográficos;
- algoritmos de previsão de guerra;
- aviões comerciais guiados via telefone;
- gravação da vida toda do nascimento à morte;
- nanopartículas antibacterianas para roupa;
- cadeira de rodas controlada por pensamento;
- interfaces cérebro-computador;
- gravação de imagens de sonhos;
- dispositivos de comunicação dentro do corpo humano;
- próteses cerebrais para melhorar ou apagar a memória;
- fim da demência.

Não é difícil notar algumas similaridades entre essas soluções emergentes: todas elas colocam o futuro como um lugar melhor, e não apenas propõem otimizar o dia a dia do ser humano, desde a área da saúde até a evolução pessoal, mas procuram também contribuir com a diminuição da devastação do planeta, com a melhoria da atmosfera e o estabelecimento de um ambiente de convivência saudável entre homens, natureza e máquinas. A proposição aqui é propiciar um ambiente que estimule uma nova renascença global, com pessoas unidas ao redor do mundo com coragem para inovar, explorar o novo, inventar possibilidades e arriscar.

O SÉCULO ASIÁTICO E A NOVA ROTA DA SEDA CHINESA

Napoleão Bonaparte, em 1816, profetizou: "Deixem a China dormir porque, quando ela acordar, o mundo inteiro tremerá!". Parece que o dragão asiático acordou. Este será, segundo o que tudo indica, o século asiático, ou, mais que isso, o século chinês.

Como em um tabuleiro de xadrez, jogada a jogada, a China começa a mostrar seu poder. Investiram primeiro em estudos do futuro, nos anos 1960; depois, na cultura inovadora, nos anos 1970; nos anos 1980, focaram em educação de alto impacto e, na década seguinte, combateram internamente a praga global intitulada corrupção. Nas últimas décadas, deixaram de ser copiadores de produtos para serem pioneiros e criadores de mudanças, tornando-se verdadeiros azarões dos negócios.

Em 1911 a Universidade Tsinghua foi fundada em Pequim, com cursos de artes liberais, a fim de preparar os alunos para estudarem nos Estados Unidos. Os chineses acreditavam que os melhores líderes seriam aqueles com a mais ampla educação nesse campo. Hoje estudantes do mundo inteiro escolhem essa universidade para sua formação de alto impacto, e atualmente é mais difícil entrar lá do que em Harvard ou Yale. Como nos Estados Unidos, o objetivo de uma educação liberal não é treinar especialistas, mas educar a pessoa para ser curiosa, atenciosa e ética.

Paralelamente aos investimentos em educação, o governo chinês desconstruiu o Acordo de Bretton Woods, exigindo que empresas estatais adquirissem, quando possível, bens de empresas chinesas, e isso permitiu criar companhias inovadoras, com cultura aberta e criativa. Assim, como um genial enxadrista, a China cria a nova "rota da seda digital" do século 21. Na Quarta Revolução Industrial e na Sociedade 5.0, a China repete a façanha dos ingleses na Primeira Revolução Industrial, com seus trens a vapor, mas desta vez investindo bilhões de dólares em várias economias da Ásia e da Europa, e criando em mais de cem países uma grande rede 5G, com cabos de fibra óptica, *data centers*, *hubs*, zonas de livre-comércio digital e cidades inteligentes, incluindo sistemas de navegação por satélite, inteligência artificial e computação quântica. Estabelecendo o que se conhece como cybersoberania, o país cria um ambiente digital internacional com diplomacia digital e governança multilateral, alçando-o ao papel de superpotência tecnológica e um dos principais polos de inovação do mundo.

Na cidade de Shenzhen, onde nasceram a empresa Alibaba e a fábrica de drones DJI, situam-se hoje a maior fábrica do mundo e também as grandes marcas de eletroeletrônicos. Até 1979 era uma vila de pescadores bem pequena, e o governo chinês escolheu abrir ali a primeira área de economia do futuro. Hoje aumentaram a população em 3.000% e a economia em mais de 9.000%, e já superaram o Vale do Silício na retenção de cérebros, transformando-se no maior polo de alta tecnologia do mundo.

A baía da inovação que compreende Hong Kong, Macau e Shenzhen integra grande parte dos centros de inovação asiáticos, e lá foi criado um verdadeiro ecossistema de inovação, superando os Estados Unidos em número de patentes registradas. Shenzhen é uma cidade altamente arborizada, praticamente sem congestionamento de carros, uma verdadeira cidade inteligente no século 21. Há mais de sessenta arranha-céus que ultrapassam trezentos metros de altura, onde pessoas do mundo inteiro trabalham com muita segurança e confiança. As incubadoras e as startups estão em todos os lugares.

Existe em Xangai um local na beira do rio chamado Bond. Todo dia ocorre ali uma espécie de festa de Ano-Novo, o que é impressionante. São milhares de pessoas que vão, diariamente, ver fogos de artifício eletrônicos acionados nos arranha-céus da cidade. E, quando todos vão embora, não existe sujeira ou papelzinho fora do lugar. Isso faz parte do amadurecimento de uma sociedade. Quando estive lá, tive a impressão de que é uma nação muito humana e na vanguarda das questões ambientais. O país tem todas as condições de emergir como maior investidor mundial em pesquisa e desenvolvimento. Os gastos com ciência se aceleram desde 2003.

O número de projetos e patentes concedidos aumentou, e mais parques e zonas de ciência estão sendo criados. Uma das grandes responsáveis por isso foi a tecnologia on-line, principalmente o comércio eletrônico, o *internet banking* e a mídia social. Os chineses não tiveram a fase do PC, dos computadores pessoais, adentrando direto a etapa dos celulares. Eles não tiveram um serviço de bancarização como o nosso para sua população de 1,4 bilhão de pessoas, com cartões de plástico, mas passaram diretamente para um sistema totalmente on-line por celular. Tudo isso permitiu que os empreendedores chineses desafiassem indústrias tradicionais e poderosas com o conceito BAT – Baidu, Alibaba e Tencent, as três grandes empresas de tecnologia do país, que representam o *soft power* e o *China way*.

O país apoia a interdependência econômica e a conectividade digital nas economias em desenvolvimento e expande sua influência internacional, econômica, estratégica e militar, em um modelo que combina o capitalismo liderado pelo Estado com uma forma de liberalismo econômico apoiado por uma ampla gama de tecnologias digitais, deixando para trás o *laissez-faire*, o conceito de "fim da história" e o *status quo* pós-Segunda Guerra Mundial.

O inglês John Maynard Keynes, seguindo a elegância da nobreza do seu país, previu que o capitalismo duraria aproximadamente 450 anos. O sistema que teve início no século 16 com as grandes navegações de Sir Francis Drake, patrocinadas pela rainha Elizabeth I, deve durar, segundo ele, até 2030, quando a humanidade resolveria o problema de suas necessidades básicas e passaria a se ocupar com questões mais elevadas. Tudo indicava que a nova humanidade e a nova forma de capitalismo nasceriam no Ocidente. Mas, diferentemente do que se acreditava, é provável que elas venham pelo hálito do dragão chinês, em uma antítese da democracia moderna, com uma mistura de socialismo, liberalismo econômico e pitadas de capitalismo tradicional.

CAPÍTULO 9

Pandemia, um acelerador de tendências

Falando em China, se há algo que era impensável até bem pouco tempo, pelo menos para a maioria da população mundial, era ficar à mercê de uma pandemia global e de seus efeitos. Mas o fato é que a covid-19 derrotou o planeta Terra em 2020, forçando muitas mudanças de hábitos para evitar uma dispersão maior da doença; isso acarretou modificações em todos os campos da atividade humana. Algumas delas, no entanto, chegaram para ficar, e várias outras simplesmente já eram tendência e foram aceleradas, estabelecendo-se definitivamente. Situações extremas de crise, como guerras e epidemias, apesar de tristes e profundamente indesejáveis, tornam-se períodos de impulsionamento de inovações, já que são inúmeros os problemas que precisam ser solucionados, e a urgência para encontrar novas soluções é imensa.

A PROIBIÇÃO DO CONSUMO DE ANIMAIS SILVESTRES

Aids, ebola, raiva, gripe aviária, gripe suína e, claro, a covid-19 chegaram aos seres humanos por meio de animais, e essas doenças são classificadas como zoonoses. Passam para as pessoas geralmente por ingestão de animais que são vetores de vírus patogênicos para humanos, que ainda não têm defesas naturais contra esses micro-organismos. Cientificamente não se sabe se a covid-19 foi originada pelo consumo de morcegos, pangolins ou cobras, mas é certo que se deu pelo consumo de animais exóticos. Entre 1958 e 1962, mais de 45 milhões de chineses morreram de fome e, diante desse cenário, a população começou a comer animais silvestres, o que disseminou essas e outras doenças.

Na cidade chinesa de Wuhan, com onze milhões de habitantes, onde se registrou o início do surto do Sars-CoV-2, havia quatrocentos mercados que vendiam animais silvestres para consumo humano, locais em que pessoas podiam comprar lobos, cobras, pavões, ratos, jacarés, raposas, tartarugas, ursos, morcegos, crocodilos, entre outros – no total, 54 espécies permitidas para comercialização e consumo. Em um país com mais de um bilhão de habitantes, é de se esperar que qualquer solução para evitar a fome e a miséria seja tolerável.

Porém, sem generalizações, na capital da China, Pequim, sempre foi extremamente raro que pessoas consumissem animais silvestres. Em pesquisa de 2020, mais de 52% dos chineses disseram nunca ter consumido animais silvestres. Depois do início da pandemia de covid-19, proibiu-se o comércio de animais selvagens, bem como noticiou-se que o governo chinês baniria definitivamente qualquer consumo de carne de animais silvestres, o que sem dúvida deve ajudar a preservar diversas espécies e a conter novas pandemias.

DETECTOR DE DISTANCIAMENTO SOCIAL

Com a necessidade de distanciamento social para evitar contaminações, a fábrica chinesa que faz a maioria dos telefones celulares e tablets do mundo encomendou um aplicativo para detectar a distância aceitável entre as pessoas em ambientes de trabalho. Quando os trabalhadores se aproximam muito um do outro, um alarme soa e um relatório é gerado para ajudar os gerentes a reorganizar o espaço de trabalho. A Amazon também utilizou *software* semelhante para monitorar as distâncias entre os funcionários dos seus armazéns nos Estados Unidos.

A ferramenta se une a um conjunto crescente de tecnologias que as empresas estão usando para monitorar funcionários. A fabricante Landing AI enfatiza que o aplicativo tem como objetivo manter "funcionários e comunidades em segurança" e deve ser usado "com transparência e apenas com consentimento". Os trabalhadores têm pouco poder para contestar essas novas tecnologias, em nome da segurança de todos, mas sem dúvida há redução da liberdade nos ambientes de trabalho.

SEGURANÇA SANITÁRIA EM AEROPORTOS

Os aeroportos internacionais de Hong Kong e Pittsburgh testaram uma variedade de tecnologias de desinfecção, principalmente robôs autônomos para limpeza, que mapeiam e limpam as áreas de alto tráfego de pessoas, em um processo que combina pressão da água e desinfetante químico, seguido por raios ultravioleta. Foram instaladas também cabines que verificam a temperatura corporal dos usuários antes da entrada e também lançam um spray desinfetante para matar vírus e bactérias.

Testes de PCR para a covid-19 que ficam prontos em cerca de três horas, para evitar o período obrigatório de quarentena de catorze dias, foram instalados no Aeroporto Internacional de Viena. Veículos autônomos foram colocados no Aeroporto Internacional JFK, em Nova York, para ajudar viajantes com deficiência a se movimentarem independentemente pelo terminal, com tecnologia anticolisão, para evitar ao máximo contato e proximidade entre pessoas. Quando o cliente chega ao portão, sua cadeira de rodas volta sozinha para a estação de ancoragem.

Em Cingapura, as autoridades municipais implantaram cães-robô para lembrar os visitantes de parques públicos a aderirem a medidas de distanciamento seguras. Chamados de Spot, eles transmitem mensagens pré-gravadas e são equipados com câmeras para estimar o número de visitantes nos locais. Na Flórida, empresas de entrega como UPS e CVS Health utilizaram drones para entregas de medicamentos em comunidades de aposentados, para evitar contato.

Todas essas medidas, que empregaram tecnologia sofisticada, sem dúvida abriram possibilidades para esses usos e outros, e não teriam sido aplicadas não fosse a situação anormal da doença.

IMPACTOS NA SAÚDE MENTAL

A pandemia teve grande impacto na saúde mental das pessoas, que ficaram muito tempo em confinamento em casa, durante a quarentena, e tiveram que mudar hábitos, além de enfrentar uma grande ameaça à saúde e problemas financeiros e de sustento.

Medo, ansiedade, depressão, estresse, fadiga, compulsões, vícios e outros comportamentos similares foram comuns, ocasionados pela grande angústia que a população viveu. Após semanas de completo isolamento social, a Itália, por exemplo, passou pelo que o Departamento de Psiquiatria da Universidade de Milão chamou de "um experimento social nunca feito antes". Na Inglaterra, a King's College de Londres relatou aumento nos níveis de ansiedade, depressão e estresse na população, e, em alguns países, pesquisas comprovaram que os níveis de depressão aumentaram de 16% para 38%.

A pressão foi grande sobre os casais, que experimentaram um convívio estrito inédito, com sobrecarga em atividades domésticas e no cuidado com os filhos, o que também levou a aumento do número de separações, divórcios, e até aumento nos índices de violência doméstica contra as mulheres. Uma empresa de aluguel de curto prazo do Japão chegou a oferecer apartamentos vagos para casais estressados, que precisavam de um tempo, e consulta de divórcio gratuita de trinta minutos, além de apoio para mulheres que pressentiam a possibilidade de violência.

TRABALHO VIRTUAL

O trabalho remoto, ou *home office*, como se costumou chamar, para quem tinha funções que eram possíveis de ser exercidas dessa maneira, definitivamente foi algo que se experimentou em massa durante a pandemia e que deu muito certo, na maioria dos casos. Muitas empresas tinham bastante receio de deixar seus profissionais trabalharem em casa, por medo de produtividade, engajamento, comprometimento ou outros motivos. Porém, sem alternativas, um verdadeiro laboratório compulsório em grande escala aconteceu, e com resultados em geral bem positivos, trazendo mudanças permanentes no modo de se trabalhar.

Várias plataformas virtuais foram usadas para as videoconferências, *calls* e reuniões on-line, e muitas delas acrescentaram dispositivos para facilitar ou até para deixar os encontros mais divertidos, interativos e eficientes. Algumas possibilitaram que as pessoas trabalhassem em uma sala de conferências, tomassem café na cozinha e até jogassem pingue-pongue virtual com os colegas. Na Rússia, criaram um algoritmo de IA para que, em um *webinar* ou videoconferência pelos aplicativos Zoom, Teams, Instagram ou Skype, o usuário assuma a aparência de Albert Einstein ou da Mona Lisa, animados e em tempo real, de modo divertido e convincente. Ou então mude cenários e aplique os mais diversos fundos e filtros.

Vários eventos puderam acontecer digitalmente, com as pessoas separadas espacialmente, mas interagindo, de programas de televisão a desfiles de moda. A Shanghai Fashion Week, na China, foi a primeira semana da moda importante realizada totalmente no ambiente virtual. Mais de 150 designers e marcas transmitiram suas coleções por meio de uma plataforma de comércio eletrônico que teve mais de onze milhões de visualizações e ajudou a gerar mais de US$ 2,8 milhões. Isso é algo impensável para um evento presencial. Até os inéditos e muito concorridos *cloud after parties* ocorreram, com performances transmitidas por músicos e DJs locais.

Trabalhar remotamente evita deslocamento, trânsito, engarrafamentos, gastos de tempo, dinheiro e energia, e também emissão de CO_2. A covid-19 paralisou cem mil voos por dia e reduziu as emissões de gás carbônico na atmosfera para os níveis de 2006, o que já foi uma vitória. Porém, a pandemia mostrou que, mesmo que em todo o mundo não estivéssemos voando e não usássemos carros, as emissões ainda seriam altas, pois a maior parte se deve à produção de energia que mantém funcionando aparelhos domésticos, computadores, casas e indústrias.

Lucien Georgeson, um brilhante aluno de doutorado agora na Universidade de Oxford, descobriu que a economia verde global vale cerca de dez trilhões de dólares por ano. Por isso, precisamos apoiar o uso da energia renovável e reduzir o emprego de combustíveis fósseis, com um design ecológico sobretudo para o setor de eletrônicos. Precisamos apoiar a fabricação e o uso de carros elétricos e mudar para o transporte público, além de incentivar o funcionamento de edifícios neutros em carbono e modernizar os existentes. Podemos reconstituir, plantar muitas árvores e garantir que as áreas úmidas sejam seguras e expandidas, a fim de que possamos extrair muito CO_2 da atmosfera. Podemos promover a agricultura e dietas que proporcionem baixas emissões de carbono e expandir os sistemas de comércio ecologicamente mais "limpos". As empresas também podem mudar para empregar 100% de energia renovável e compensar as emissões por meio de reflorestamento, e garantir que suas cadeias de suprimento também façam isso. Mais importante ainda, podem pressionar os governos a apoiar a mudança que realmente desejam. Ser sustentável e se preocupar ativamente com o meio ambiente acaba sendo bom para todos e também para a economia.

Economia sustentável, negócios orientados a propósito, marcas que trabalhem juntas para resolver grandes desafios que não podem ser resolvidos por uma única empresa – como meta de sustentabilidade, preocupação ambiental, reciclagem de produtos, redução de desperdícios – são o foco do trabalho nos próximos tempos, pauta que a covid-19 trouxe, mostrando que, assim como no combate a uma pandemia, só a colaboração de todos pode evitar danos maiores também para o planeta.

DINHEIRO E MOEDAS DIGITAIS

A pandemia acelerou a luta pela supremacia de uma moeda digital, que começou na era do *blockchain*. Bancos centrais da China, da Coreia do Sul e dos Estados Unidos decidiram "pôr em quarentena" o dinheiro potencialmente contaminado em meio ao surto do coronavírus. O Banco Popular da China desinfetou e armazenou dinheiro por duas semanas para combater a pandemia, a fim de reduzir o risco de espalhar a doença.

A situação foi um forte estímulo para bancos centrais em todo o mundo converterem suas moedas em dinheiro digital. A discussão sobre o tema tinha sido teórica até então, mas testes com *blockchain* foram colocados em prática.

Nos Estados Unidos, especialistas disseram que era o momento de emitir "dólares digitais", pois "o sistema bancário encontra uma maneira de excluir pessoas que não são lucrativas". Os indivíduos precisam de dinheiro na mão o mais rápido possível para compensar a renda perdida pelo isolamento, e o plano de alívio econômico debateu a criação de uma plataforma de moeda digital para distribuir pagamentos, administrada pelo governo.

A China já prevê seu yuan digital, o Japão se prepara para lançar seu iene digital, e economistas acreditam que o mundo liderado por acordos em dólares esteja no fim.

A ESCOLA E A EDUCAÇÃO

Durante a quarentena, as crianças ao redor do mundo precisaram ter aulas on-line com seus professores e estudar muitas vezes com a ajuda dos pais ou de adultos responsáveis por elas, em um esquema de *home schooling*. Independentemente do resultado dessa experiência, o que ela mais trouxe foram questionamentos: o que é de fato aprender? Qual a melhor maneira de ensinar as crianças do século 21? Qual o real papel do professor em um mundo inundado de informação?

Apesar de tanta inovação e das novas ferramentas, a pandemia, que levou milhões de estudantes da tradicional sala de aula, com espaço concreto e tempo cronometrado, para as aulas digitais, nos fez voltar aos clássicos da educação – como *Sociedade sem escolas*, de Ivan Ilich; *Pedagogia do oprimido*, de Paulo Freire; *Como as crianças falham*, de John Holt; e *Se a escola não existisse*, de Nils Christie. Temos que nos lembrar de que a educação não é utilitária nem uma linha de montagem para empregos do século passado. Ela é, sim, a base dos valores da sociedade do século atual.

Brevemente, utilizaremos os recursos digitais para uma aprendizagem perceptiva, focando no domínio visual, em *moocs* e tutores com IA e outras tecnologias educacionais. A educação de alto impacto é o eixo cultural da sociedade do conhecimento, e o campus universitário, seja digital ou real, sempre será a bússola do pensamento e a grande resposta ao nacionalismo, ao autoritarismo, à ignorância e a toda forma de extremismo que se opuser ao futuro e às inovações.

JOGOS, ENTRETENIMENTO E RELACIONAMENTO ON-LINE

O contato com a internet e com as mídias sociais durante a quarentena praticamente mediou as mais diversas atividades profissionais, sociais, recreativas e pessoais, colocando as pessoas em conexão virtual por quase 24 horas por dia, sete dias por semana. Isso trouxe consequências avassaladoras, levando até a preocupações com desequilíbrios físicos e mentais.

Por outro lado, as artes, a música, a leitura, os filmes, os shows, os jogos e outros tipos de entretenimento foram altamente valorizados, e novas maneiras de transmitir e desfrutar essas atividades foram encontradas.

Os games criaram novas formas de interação e de comunidades on-line. Estudantes de todo o mundo recriaram suas escolas no Minecraft. Formaturas, cerimônias de casamento, defesas de tese, aulas, protestos e encontros virtuais com amigos foram coordenados no universo dos jogos virtuais.

Pelo jogo *Final Fantasy*, jogadores organizaram uma marcha digital para homenagear um membro que faleceu por consequências da covid-19. A fuga virtual mostrou-se um remédio para escapar dos acontecimentos, encontrar pessoas e criar uma realidade alternativa na qual se podia controlar tudo e viver em um mundo mais perfeito, o que é um alívio.

Os games permitiram que as pessoas conversassem, se conectassem e se conhecessem. Jogos fáceis de jogar, "simuladores de vida", como *Animal Crossing* e *Kind Word*, ofereceram aos jogadores uma sensação de normalidade. *Animal Crossing* permite que, em uma ilha habitada por animais que falam, você conheça amigos e os visite, sem pressão, sem estresse, sem ninguém atrás de você. Se você quer cultivar e vender vegetais, pode. Se quiser passar um dia inteiro decorando sua casa, pode também. Se quiser saber das fofocas do bairro, pescar ou explorar uma floresta, é permitido. Um casal que teve que cancelar a festa de casamento em virtude da pandemia gastou duzentas horas criando uma ilha de casamento. *Kind Words* ajuda os jogadores a conhecer novas pessoas. O jogo acontece inteiramente dentro do espaço de uma sala, em que você pode escrever cartas, compartilhar boas vibrações com desconhecidos enquanto ouve música relaxante e enviar mensagens por envelopes digitais – uma atmosfera surreal e tranquilizadora, em que você apenas relaxa.

O Grande Prêmio do Bahrein da Fórmula 1 também aconteceu virtualmente, por meio do game oficial da entidade. Contou com uma corrida virtual de 28 voltas transmitida pelo YouTube, Twitter e Facebook. A Williams e a Red Bull enviaram seus pilotos principais, a Mercedes mandou seus pilotos reserva.

O coronavírus também derrubou o que pensávamos ser as regras básicas do namoro na era digital. O fundador de um aplicativo de namoros foi muito explícito em uma carta pública para seus usuários: "Por favor, namore virtualmente por enquanto". Os *apps* disponibilizaram bate-papos por vídeo e voz, que alguns solteiros chamaram de "verificação de *vibe*". Houve um aumento considerável na venda de brinquedos e acessórios sexuais com controle remoto, com os quais as pessoas podiam se envolver sexualmente com um parceiro a distância e ter experiências virtuais e imersivas, duas grandes tendências que permanecem.

Antes da pandemia, uma exposição imersiva sobre Van Gogh aconteceu em Paris e recebeu dois milhões de visitantes. Em Toronto, no Canadá, a experiência aconteceu em estilo drive-in, com os visitantes dentro de carros para respeitar o distanciamento social. Com até duas pessoas por veículo e um show de 35 minutos, as projeções utilizaram seiscentas mil lâmpadas que destacavam as pinceladas, os detalhes e as cores impressionantes das obras do gênio. Assim, as pessoas puderam ver paisagens ensolaradas, cenas noturnas e pinturas de natureza morta projetadas em um espaço histórico da década de 1970 que abrigava as gigantes máquinas impressoras do principal jornal de Toronto.

Também em sistema de drive-in, algumas formaturas universitárias aconteceram, adaptando-se às regras de distanciamento social. Na China, quase nove milhões de formandos nas faculdades do país defenderam suas teses de final de curso on-line e realizaram a cerimônia de formatura em sistema de drive-in. Cada formando sintonizou uma estação de rádio FM para acompanhar a cerimônia e, quando seu nome era chamado, ligava os faróis de seu carro, e um drone entregava o diploma diretamente no veículo. A procura de emprego, depois de formado, permaneceu digital.

CAPÍTULO 10

E o Brasil nesse cenário?

Qual é o perigo da situação atual? A ignorância.
A ignorância, muito mais que a miséria...
É num momento semelhante, diante de um perigo como esse,
que se pensa em atacar, em mutilar, em sucatear
todas essas instituições que têm como objetivo específico
perseguir, combater e destruir a ignorância!

– Victor Hugo

Em discurso na Assembleia Constituinte da França em 10 de novembro de 1848.

Olhando para todo esse cenário, a pergunta que fica é: e o Brasil? O que está acontecendo? Infelizmente, nosso país não está participando de tudo isso, pelo menos não como deveria, com poucas e honrosas exceções.

Desde sempre achei que era importante para o Brasil pensar no futuro, ter e desenvolver uma mentalidade inovadora, focada no pioneirismo, por isso busquei trabalhar com isso e para isso. No início do *boom* da internet, comecei estudando a economia digital que acabava de despontar e os desdobramentos que ela trazia, e passei a dar aulas sobre o assunto. Agora estou transitando pelos estudos de futuro. Como professor e curioso sobre a transformação imensa e sem precedentes pela qual estamos passando, dou aulas em várias escolas de negócios no Brasil e no mundo, tendo iniciado vários cursos pioneiros em nosso país. Faço parte de dois grupos muito fortes de futuristas, o World Futurist Federation, sediado em Paris e que aconselha a Unesco e a ONU, e o World Future Society Federation, que fica nos Estados Unidos. O que vejo é que, tristemente, o Brasil é o único país entre as grandes potências que não tem uma cadeira sobre futuro ligada ao governo (os Estados Unidos têm isso desde 1929). O Brasil encontra-se agora em uma bifurcação como nação, sem saber se vai virar uma Estônia ou uma Ucrânia.

O povo brasileiro é, sabidamente, muito criativo, mas a verdade é que é pouco inovador, e há algumas razões para isso. Para uma nação ser inovadora, é preciso do suporte que chamamos de *tríplice hélice da inovação*, composto de iniciativa privada, políticas governamentais e academia, ou seja, universidades e centros de estudo. Com essas três frentes trabalhando juntas e em coordenação, é possível aproveitar o potencial criativo de um povo e transformá-lo em iniciativas realmente inovadoras.

Primeiro, é preciso que a indústria e a universidade estejam abertas para trabalhar uma com a outra, e em nosso país isso não acontece em quase nenhuma medida, nem por intermédio do apoio do governo, nem pela iniciativa privada. Nos Estados Unidos, por exemplo, isso é bem comum, e o próprio MIT que tanto citei tem laboratórios de pesquisas dentro de indústrias, o que integra produção acadêmica com visão de mercado e aplicações práticas.

Para inovar também é preciso pensar no longo prazo, investir em desenvolvimento, mas em geral a indústria em nosso país parece ser mais imediatista, buscando resultados rápidos e preocupando-se mais com a folha de pagamento do mês corrente do que com investimentos em pesquisa e visão para daqui a vinte ou trinta anos. Mas os países que fizeram isso lá atrás hoje estão lá na frente, como a Coreia do Sul.

No livro *O que eu vi, o que nós veremos*, Santos Dumont transcreveu cartas enviadas por ele ao presidente da República dos Estados Unidos do Brasil (nome oficial do nosso país à época) sobre sua preocupação em relação ao atraso da indústria aeronáutica militar no Brasil e trazendo à tona a necessidade da instalação de campos de pouso militares tanto do Exército como da Marinha. Ele acreditava que o assunto não era tratado com a atenção devida, sendo que na Europa, nos Estados Unidos e mesmo na América do Sul – no caso, na Argentina e no Chile – o tema já era amplamente desenvolvido. Era um brasileiro visionário, sem dúvida.

Outra questão que nos faz um país pouco inovador são os entraves burocráticos que enfrentamos, como a obtenção de patentes. O tempo médio para conseguir uma patente no Brasil é de doze a quinze anos, enquanto em outros países é de dois ou três.

Mais um ponto importante é que o Brasil não incentiva a inovação incremental – investir em aperfeiçoar coisas que já existem e podem ser melhoradas. Aqui se investe basicamente em inovação radical, que é criar algo do zero, o que deveria, na verdade, ser a última fase da inovação, quando se está bem adiantado em aprimorar boas iniciativas que já estão implementadas.

Se no mundo, como discutimos, a questão da educação está complicada, no Brasil ela é crítica, e isso é bastante preocupante quando se pensa em termos de futuro, desenvolvimento e inovação. Temos um sistema educacional obsoleto, preso ao modelo acadêmico estabelecido em 1971, há mais de cinquenta anos, a partir da Lei de Diretrizes e Bases da Educação, que definia o formato da educação geral do país, da básica até a superior.

De modo muito triste, a educação deixa o Brasil na lanterna da nova era. Não bastassem os problemas crônicos da educação em comum com outros países, aqui há outros ainda mais graves, com a total desvalorização dos professores – e até a demonização da categoria por determinados segmentos da sociedade –, despreparo dos profissionais, salários indecentes, falta de incentivo e de interesse público em melhorar o ensino, desdém dos governantes – eles próprios despreparados em termos de educação –, pouca seriedade com a área, precarização e falta de espaços escolares públicos e alta evasão escolar, entre outros fatores, que compõem um cenário obscuro. Só 2,4% dos jovens querem ser professores no Brasil, e pouco reconhecimento e baixos salários estão entre os motivos para esse desinteresse, que aumentou muito na última década.

Uma pesquisa do Instituto de Pesquisa Econômica Aplicada (Ipea) revela que 23% dos jovens brasileiros não trabalham nem estudam. São os jovens chamados "nem-nem". Na maioria, são mulheres e pessoas de baixa renda. Enquanto isso, 49% dos jovens se dedicam exclusivamente ao estudo ou capacitação, 13% só trabalham e 15% trabalham e estudam ao mesmo tempo.

As razões para esse cenário, de acordo com o estudo, são problemas com habilidades cognitivas e socioemocionais, falta de políticas públicas, obrigações familiares com parentes e filhos, entre outras. De acordo com a pesquisa, embora o termo "nem-nem" possa induzir à ideia de que esses jovens são ociosos ou improdutivos, 31% deles estão procurando trabalho, principalmente os homens, e mais da metade, 64%, dedica-se a trabalhos de cuidado doméstico e familiar, principalmente as mulheres.

Mesmo com quem tem escolaridade alta e está na universidade, a situação não é boa. Mais de 50% dos estudantes universitários no Brasil são comprovadamente analfabetos funcionais. Além disso, um mapeamento da Universidade Estadual do Rio de Janeiro, de 2012, mostra que há 5,3 milhões de jovens entre quinze e 29 anos que abandonaram a escola e, consequentemente, não conseguiram um emprego mais bem remunerado. Um em cada cinco brasileiros entre dezoito e 25 anos encontra-se nessa situação.

Recentemente, participei de uma reunião patrocinada pelo Banco Mundial em Brasília para discutir como levar educação de impacto para o Brasil. No evento, o que mais me marcou – negativamente – foi o depoimento de um graduado funcionário federal: "O problema é que em muitas cidades brasileiras o prefeito é corrupto e o secretário de educação é analfabeto". Saí desolado, pensando que essa é a realidade em todas as esferas governamentais, seja municipal, seja estadual ou federal. Diante de todo esse cenário, é crítico se pensar como fazer a transição da educação adequada para a economia da inteligência artificial.

Parece impossível fechar a conta de uma nação inovadora enquanto estamos em octogésimo lugar no ranking de Competitividade Global do Fórum Econômico Mundial, na 98ª posição no Global Entrepreneurship Index (GEI), em 69° lugar em Inovação pela Organização Mundial de Propriedade Intelectual, na antepenúltima colocação em eficiência empresarial e na penúltima em Eficiência Política pelo IMD Suíço.

Também é difícil entrar nessa nova era se caímos no ranking da corrupção da Transparência Internacional: de 69°, em 2014 – o que já era ruim –, para 96° em 2017; no Índice de Desenvolvimento Humano da ONU, somos o 79°. Tais indicadores deveriam gerar um desconforto capaz de fazer a sociedade refletir e buscar novos caminhos.

Nosso país ainda está discutindo coisas que deveriam ter se resolvido no século 20. Claro que solucioná-las é fundamental, mas não devemos focar só isso. Os empregos e a economia do futuro têm que ser colocados em pauta ao mesmo tempo que se sanam os problemas urgentes. Infelizmente, o Brasil é a única das vinte maiores economias mundiais que não tem um núcleo apropriado no governo para pensar o futuro da nação, algo que seja independente de presidente da República ou da linha política no poder. Os Estados Unidos têm esse departamento desde 1939. Eles foram o primeiro país a montar uma área que, independentemente do governo, da linha política, de esquerda ou direita, está ligada a pensar o futuro. Esse grupo montou lá atrás o que foi chamado de *soft power* na diplomacia. Eles queriam trazer o mundo na dominação de dois processos: o *strong power*, que é poderio bélico, e o *soft power*, que seria algo entre arte, Hollywood e ciência, e lá naquela década eles definiram o que está acontecendo hoje. Não é à toa que as empresas norte-americanas foram as que mais registraram patentes na história e que a "colonização cultural" daquele país predomina no globo.

Outro ponto a se considerar é que infelizmente ainda aceitamos docilmente ideias, conceitos e tecnologias que vêm do exterior, mas somos preconceituosos com quem empreende ótimas realizações no Brasil, mesmo que sejam notáveis. Ainda temos em mente o que Charles de Gaulle, ex-presidente francês, mencionou quando disse que não éramos um país sério, e o que o dramaturgo Nelson Rodrigues bradou quando nos carimbou com a síndrome de vira-lata.

Ao visitar a recente Campus Party, badalada feira de tecnologia onde mais de seis mil jovens passam sete dias conectados, pude constatar essa mentalidade. A maioria dos frequentadores consome séries norte-americanas, passa dias jogando games, consome como gafanhotos a tecnologia do Vale do Silício, mas quase nada cria. Limitam-se a aplaudir o que vem de fora e tratar com ceticismo o produto nacional. Lá conversei com muitos e perguntei a quase todos: "Cadê a inovação verde-amarela?". Sim, encontrei brasileiros inovadores presentes no evento, mas eram poucos, a exceção que confirma a regra. Se apenas durante uma hora por dia todos aqueles cérebros privilegiados, nascidos aqui, aplicassem o conhecimento gerado pelas multidões para resolver um problema global, a situação seria bastante diferente.

Precisamos valorizar o que temos de bom. A Universidade de São Paulo (USP) e a Universidade Estadual de Campinas (Unicamp) estão frequentemente nas listas das melhores do mundo e das que mais formam doutores no planeta. Portanto, conhecimento o Brasil produz, apenas precisamos aproveitá-lo melhor e torná-lo visível. E todos precisamos participar da criação da inovação e do conhecimento sem ser apenas consumidores passivos.

Em tempos pós-normais, é urgente o Brasil tomar decisões de futuro. Precisaremos ter uma discussão muito séria e honesta sobre qual é nosso projeto como nação inovadora. É claro que temos alguns pontos de excelência e iniciativas que merecem elogios. Algumas universidades já abriram *fab labs*, a Prefeitura de São Paulo fundou seu primeiro *hackerspace* em Cidade Tiradentes, e hoje há diversos outros espalhados pelos principais estados brasileiros. Já tivemos o Picnic Brasil, no Rio de Janeiro, a primeira versão nacional do Maker Faire oficial. Há dois *think tanks*, um na Fundação Getulio Vargas, cujo foco é economia e inflação, e outro no Instituto Fernando Henrique Cardoso, mas, em virtude das ligações políticas, muito do que ali se discute não se transforma em inovação.

Quando o turbilhão de notícias ruins inunda os meios de comunicação e as conversas, ficamos mais pessimistas, e é difícil se livrar dessa nuvem estranha que paira sobre o Brasil. Mas precisamos resgatar o otimismo. De fato, temos um país atrasado, com inúmeros casos de corrupção, empresas que se tornaram meras copiadoras dos líderes globais e uma grande massa de acadêmicos que parece um clube fechado e nada produz, a não ser *papers* que nem eles mesmos leem. Esse é o lado ruim.

Alguns países estão conseguindo dar o salto para o desenvolvimento. Botswana, na África, por exemplo, é uma nação que não passou pela Primeira Revolução Industrial, nem pela Segunda ou Terceira, porém agora, na Quarta, está conseguindo se colocar não como líder, mas como *player* considerável.

Por isso, tenho uma visão positiva para nosso país. Temos uma força grande, um enorme potencial ainda não realizado, e o salto pode ser feito não pelo governo, mas pela genialidade dos profissionais que temos aqui. E esse é o lado bom. Acho possível, a exemplo da China, tratarmos de problemas essenciais como educação, segurança, saúde, moradia, saneamento básico, transporte, e ao mesmo tempo nos dedicarmos a projetar um futuro condizente com a tecnologia e o mundo que já existem. Precisamos de um projeto consistente, é claro, mas há recursos para isso, principalmente humanos, com profissionais que buscam a inovação, gostam de correr riscos, promovem a educação transformadora e a ética coletiva, e há pessoas assim tanto nas grandes empresas quanto no funcionalismo público e nas universidades. Gente boa para compor a tripla hélice da inovação, tão necessária. Precisamos nos compor em rede, unir os talentos, sermos nós os fazedores, os *makers* dessa nova era, e colocar essa hélice para girar, a fim de alçarmos voos cada vez mais altos em direção ao futuro.

EPÍLOGO

Humano, e não máquina

Tornou-se aterradoramente claro
que nossa tecnologia ultrapassou nossa humanidade.

– Albert Einstein

Quem conduz e arrasta o mundo
não são as máquinas, mas as ideias.

– Victor Hugo

Estamos em um processo de transformação constante. Os centros de poder migraram nos últimos séculos, da Europa para os Estados Unidos, e agora é a vez da China como novo polo de crescimento e inovação. O eixo do planeta, como diziam as profecias, mudou.

A partir de agora, e cada vez mais, o formato dos relacionamentos, dos governos, dos modelos de negócio e do consumo será fisital. Tudo o que existe no mundo físico terá paralelo no digital, mas o contrário não será necessariamente verdadeiro. Em aproximadamente uma década, os negócios digitais representarão mais de 70% da economia global. A indústria do petróleo está no fim, e agora, na era da inovação, a economia da inteligência artificial é a grande força motriz dessa transformação do nosso tempo.

Os pontos de mudança na maioria das empresas estarão na tecnologia, na análise preditiva, mas sobretudo em um olhar mais humanizado. Hoje as marcas já não sobrevivem em um ambiente focado em lucros apenas. Apesar de serem movidas pelo capital, e profundamente amparadas por máquinas, elas precisam ter um respaldo que mostre que se importam com as pessoas e que o lucro tem uma finalidade.

Vivemos um tsunami de dados e precisamos aprender a analisá-los, deixando o olhar negacionista de lado, abandonando as vertentes da pseudociência e todo ceticismo motivado pela ideologia. Não podemos rejeitar descobertas científicas em prol de ideias arcaicas há muito sedimentadas abaixo do solo. Precisamos nos abrir aos novos cenários, pois os velhos em breve se extinguirão.

Estamos em tempos de revoluções, de transformações morais, científicas e intelectuais e de um novo olhar sobre o valor humano. Esses são os pilares catalisadores da mudança que devemos enfrentar: agora o ser humano importa mais do que nunca.

Toda indústria impulsionada pela automação dos processos e todo valor dos dados coletados são, ao contrário do que a maioria pensa, o caminho para melhorar a vida de todos. Se hoje você tem um smartphone, no futuro você terá um humanoide de IA só para você. E as aplicações dessas tecnologias serão tantas que não precisaremos pensar no que teremos de fazer. Haverá tempo para fazer o que queremos e aquilo de que gostamos, e essa é a ideia por trás de ter robôs, computadores, máquinas e inteligência artificial trabalhando para nós.

Você está confuso com tudo isso? Está inebriado com tantas informações, ideias inusitadas, avanços e conceitos impensáveis? Então você está como Ada Lovelace, a matemática, cientista e mãe dos computadores, que disse, enquanto estava imersa em um mar de dados, tentando decifrar um problema matemático: "Estou em um fascinante estado de confusão".

Diz a antiga mitologia dos sumérios que os deuses ficaram muito irritados quando viram que os homens estavam construindo a Torre de Babel – que significa "confusão" –, para chegar ao céu, sua morada. Os deuses, então, desceram à Terra e misturaram as línguas, para que eles não mais se entendessem e desistissem do seu intento. Por esse motivo, nesses últimos milhares de anos, estamos vivendo uma grande confusão.

Agora, no entanto, estamos em um tempo em que as línguas precisam novamente se unir e voltar a ser uma só. Aquela aldeia global que foi pensada na década de 1960 pelos *hippies* finalmente está pronta para acontecer. Até agora, fizemos a aldeia global da exportação, das comidas, das culturas, do comércio, mas não fizemos a das línguas.

Quando tivermos uma mesma língua e uma humanidade mais equilibrada, menos radical e menos voltada ao trabalho braçal, vai sobrar tempo para voltarmos ao que era a antiga Atenas, e viveremos com mais filosofia, mais ciência, mais arte, mais esporte e mais letras, que são atividades que criam caráter e ética.

Poderemos morar em uma Atenas digital ou em uma nova Atlântida, uma sociedade em que voltaremos a jogar e a criar nas ruas e a debater nas praças públicas sobre democracia, filosofia e artes. Teremos tempo, como os antigos, para pensar em corpo são, mente sã e alma sã. Em uma fluidez nômade, voltaremos à simplicidade, ao essencial, à frugalidade e ao prazer da leveza lúdica e estética.

Se antes precisávamos de vários gênios para fazer esse movimento, agora não necessitaremos de Colombos e Da Vincis, pois temos mais de sete bilhões de seres humanos, ajudados por inúmeras máquinas novas e inteligentes, e esse resultado será maior que a soma das partes. Haverá um novo Renascimento.

Se você não acredita nisso, lembre-se de que nas primeiras navegações diziam que lá no final do oceano havia um penhasco cheio de dragões, porque a Terra era plana, o Sol girava em torno do nosso planeta e não existia nada mais que o continente europeu. O Novo Mundo – que foi depois descoberto – era, então, impensável.

Mas alguém resolveu pensar o impensável e navegar para ver que tudo aquilo era diferente. Agora a navegação também é diferente. Se eles usassem os velhos mapas, nunca iriam descobrir as novas terras. E nós também!

Felizmente, os novos mapas já estão nas nossas mãos, as novas terras, as novas galáxias existem, e estão muito além do que a vista pode alcançar. Já temos todos os instrumentos para isso, inclusive os robôs. A obsolescência humana é iminente. É o fim do homem como o conhecemos. E da mulher também. Estamos saindo do antropoceno e migrando para o roboceno.

Havia mais de 2.500 anos, a mitologia grega contava a história de um tipo de "robô" que caminhava pela Terra, um gigante de bronze chamado Talos, que protegia a ilha de Creta, e que teria sido criado por Hefesto, o deus da forja, da criatividade e da invenção.

Depois as antigas civilizações romanas, indianas e chinesas refletiram sobre a vida artificial e sobre como artefatos poderiam ajudar os seres humanos em suas atividades.

A palavra *robô* foi cunhada pela primeira vez em uma peça teatral de ficção científica de 1920, chamada *Rossumovi Univerzální Roboti* [Robôs Universais de Rossum, em tradução livre], ou R.U.R., escrita pelo autor checo Karel Capek. A expressão em inglês "Rossum's Universal Robots" foi usada como legenda na versão checa original. A peça estreou no dia 25 de janeiro de 1921 e introduziu a palavra "robô" em diversos idiomas e na ficção científica como um todo. Robô deriva suas raízes etimológicas de duas palavras checas: *rabota* ("trabalho obrigatório") e *robotnik* ("servo"), e descreve, na concepção de Capek, uma nova classe de "pessoas artificiais" que seriam criadas para servir os seres humanos.

Existem duas linhas de pensamento sobre os robôs. A primeira é: se uma máquina pode fazer seu trabalho, preocupe-se. A segunda é: os sistemas de IA e de automação criarão prosperidade e valor e trarão mais significado ao trabalho e mais tempo às pessoas. Quero acreditar na segunda, em um cenário em que a cooperação entre seres humanos e máquinas ampliará as capacidades e os conhecimentos e nos fará atingir um desenvolvimento inédito e positivo, que nos possibilitará unir o melhor de dois mundos – o natural e o artificial.

Ao longo da história, e principalmente dentro da academia e das universidades, cientistas e pensadores moldaram indelevelmente nosso entendimento do mundo e das pessoas. Nomes como Albert Einstein, Erwin Schrödinger, Stephen Hawking e muitos outros tentaram entender nosso universo confuso e suas leis.

Em um desses locais, mais precisamente no perímetro que compreende o MIT e a Universidade de Harvard, há um espaço onde se considera que uma vida rica é rica em pensamentos. O simples aprendizado embaixo de uma árvore já representa um prazer oculto da vida intelectual. Nesse ambiente, desde sempre, tradições visionárias confrontam-se e unem-se com práticas espiritualistas, místicas, escolas de *makers*, raciocínios utópicos, exploração de consciência e criatividade. E isso traz enorme inovação. É onde se pensa o que ninguém pensa e se dá forma ao que ainda não existe.

Em um mundo sobrecarregado, superficial e tecnológico, no qual quase tudo e todos são julgados apenas por sua utilidade, sempre que podemos procuramos prazer duradouro, contemplação ou conexão com outras pessoas. Em uma era utilitária, imediatista e capitalista, em que tudo tem que ter um fim econômico ou político, a academia desperta o desejo de aprender para trazer o melhor da humanidade. O significado do valor e da compreensão da consciência e da alma pode ajudar todos nós a entender melhor o que é ser humano. E, em tempos exponenciais, pode ajudar a construir as pontes para um novo Renascimento.

Não é à toa que estamos retornando aos movimentos dos anos de 1960 e 1970, da Era de Aquário, quando grupos de estudos de física reuniam Ph.Ds das universidades de Columbia, Califórnia e Stanford para debater a física do impossível, o mundo quântico, a meditação transcendental, a alquimia moderna, e também participar de sessões espiritualistas, de parapsicologia, debater teoria da consciência e movimentos do potencial humano, conversando sobre os conflitos entre ciência e religião e mesclando um olhar científico com uma visão mística.

Hoje tudo isso ajuda cientistas das ciências exatas e humanas a desenvolverem modelos matemáticos do universo que incorpora dimensões invisíveis e de multiverso a fim de explicar outros mundos, e nos levar aos portões da computação quântica, da fusão da ciência da computação e das tecnologias cognitivas com as ideias das ciências exatas do século 20 que pareciam sem sentido.

Nessa linha, a Universidade de Pequim, hoje uma das mais difíceis de se ingressar no mundo, criou o Programa Yuanpei, cuja grade mistura cursos de artes liberais, literatura, filosofia e história com IA e engenharia de automação. Ela parte do projeto de *soft power* chinês, que já fez Shenzhen superar o Vale do Silício na retenção de cérebros, transformando-se no maior polo de alta tecnologia do mundo.

Esse programa vai ao encontro dos debates do MediaX da Universidade Stanford, que diz que as máquinas devem ficar com a aprendizagem rápida e que nós, seres humanos, devemos ter a aprendizagem profunda, que abrange a compreensão, o questionamento, as experiências, o repertório cultural, a cognição social, a comunicação, o aprendizado cultural, o pensamento cooperativo, a colaboração, a pró-socialidade, as normas sociais, a identidade moral e a imaginação.

Nessa interação entre ser humano e máquina, que alguns chamam de *homem-centauro* ou Humano 5.0, combinam-se os poderes analíticos de uma pessoa com os de um computador para criar um sistema superpoderoso, algo que o professor Licklider, em 1950, escreveu como a "simbiose entre computadores e humanos".

Nessa mesma linha, a União Europeia criou vários tipos de cursos on-line sobre IA oferecidos pela Universidade de Helsinque e por empresas europeias da indústria de tecnologias cognitivas, e disponibilizou-os gratuitamente a todos os cidadãos da UE, em todas as línguas oficiais, com o objetivo de colocar a Europa na economia de IA, melhorando as habilidades digitais, aumentando a compreensão prática da IA e impulsionando a liderança digital do continente. O objetivo deles é que, na terceira década deste século, pelo menos 1% da comunidade europeia tenha feito algum curso. A Finlândia deu um passo à frente e tornou obrigatórios esses cursos para pessoas que estiverem cumprindo penas na prisão que não envolvam atentados à vida.

Albert Einstein sempre citou a *Academia Olímpia* (em alemão *Akademie Olympia*), que trazia um olhar transdisciplinar para seu trabalho. Em 1902 ele reunia em sua casa, durante curta temporada de estudos na Suíça, grupos para debater filosofia e física. Liam e discutiam desde obras sobre ciências exatas, passando por obras de Baruch Spinoza, até ficções como *Dom Quixote*, de Miguel de Cervantes.

A professora Dara R. Fisher, em seu livro, explica como a sociedade global do conhecimento cria a educação que atravessa fronteiras, e isso inspirou o projeto de Cingapura de se tornar uma economia de IA. O país convidou o MIT para criarem juntos uma nova universidade, unindo a metodologia norte-americana com o respeito às peculiaridades dos estudantes daquele país. Nasceu a Universidade de Tecnologia e Design de Cingapura (SUTD), que já consta entre as melhores do mundo, com um ensino superior transfronteiriço, que traz benefícios aos dois países. O projeto é similar ao que foi feito entre a Universidade de São Paulo e a Universidade de Sorbonne, de Paris, no século 20, e reflete o que o professor Seymour Papert, do MIT, disse nos anos 1980: "educadores devem respeitar os alunos como criadores e designers construcionistas por meio de uma aprendizagem colaborativa".

Nessa nova pedagogia do aprendizado, crianças aprendem com outras crianças em plataformas de vídeos e games. Muitos educadores chamam isso de pedagogia do coletivo, ou seja, locais digitais em que as pessoas trocam saberes com seus iguais, ensinando e aprendendo a como passar para a próxima fase de um game, dando e recebendo uma dica de vestibular ou uma nova técnica, remixando e compartilhando interação e aprendizado.

A visão do homem do futuro como centro dessa transformação dos processos da humanidade traz à tona um novo ser humano, bem como um novo profissional, que sai do lugar onde passamos por inúmeros sistemas produtivos e burocráticos e se transforma. As pessoas mudarão – já estão mudando – de trabalho sem mudar de emprego. As definições do pós-guerra cairão definitivamente por terra e se tornarão cada dia mais obsoletas. Todas as regulamentações que cerceiam nossas vidas hoje, o Estado Democrático de Direito, os modelos trabalhistas, as definições de classe e os embates ideológicos já não cabem neste mundo. Precisamos abandonar os conceitos e buscar novas respostas.

As urgências da atualidade exigem novas soluções inteligentes. Precisamos pensar em gerenciar mudanças climáticas, abrir as portas para as revoluções da medicina, que permitem questionamentos sobre como vamos estender a vida dos seres humanos, e entender que a prosperidade global diminuirá o terrorismo e os ataques ao meio ambiente, trazendo um tempo de maiores conquistas e menos desgastes.

Mas, para tudo isso acontecer, precisamos ser humanos, e não máquinas.

A inteligência artificial precisa ser dos computadores, e não nossa.

Não podemos ser escravos dos sistemas que criamos, nem trabalhar para eles. Não podemos ser um produto comercializável, manipulável, que obedece a um algoritmo criado para que poucos induzam a ação de muitos em seus interesses escusos e nocivos.

Não podemos agir como máquinas, que não pensam e não sentem. Que apenas reagem a estímulos, como ratos, sem saber quem programou o mecanismo que nos deixa presos no labirinto.

Para ser humano, é preciso sentir e emocionar-se com os aromas das flores, dos campos molhados depois da chuva, com os cheiros dos bebês e com o odor inebriante da pessoa amada.

Para ser humano, é preciso sentir o sabor salgado da água do mar, o gosto doce de um beijo apaixonado, o prazer do tempero da comida recém-preparada, o alívio da água gelada que escorre pela garganta seca em um dia de calor intenso. É necessário enxergar as cores dos animais que acordam com os primeiros raios de sol da manhã e alegrar-se ao avistar o tom dos cabelos dos amigos mais estimados.

Para ser humano, é preciso ouvir o som do riacho que corre, das ondas que quebram, dos pedidos de perdão e das risadas de cumplicidade de quem mais gosta da gente. É preciso tocar o chão com os pés descalços, tocar com as mãos as asas das borboletas e sentir na pele o arrepio de prazer das conquistas mais difíceis.

Precisamos ser humanos, antes e acima de tudo. Não podemos ser e agir como máquinas.

Como humanos, sabemos que nenhuma ideia deve ser jogada fora, pois um dia o tempo dela chegará.

O que foi impensável em algum momento será realidade um dia.

Assim construiremos o futuro. Assim construiremos o amanhã. Assim mudaremos o mundo.

Seja humano e ouse pensar o impensável!

Referências

23ANDME. Disponível em: https://www.23andme.com/. Acesso em: 7 fev. 2022.

ABRAMI, Regina M.; KIRBY, William C.; MCFARLAN, F. Warren. Why China Can't Innovate. *Harvard Business Review*, mar. 2014. Disponível em: https://hbr.org/2014/03/why-china-cant-innovate. Acesso em: 7 fev. 2022.

ACEMOGLU, Daron; ROBINSON, James A. *Por que as nações fracassam*: as origens do poder, da prosperidade e da pobreza. São Paulo: Elsevier, 2012.

AGRAWAL, Ajay; GANS, Joshua; GOLDFARB, Avi. *Prediction Machines*: The Simple Economics of Artificial Intelligence. Cambridge, MA: Harvard Business Review Press, 2018.

ALTARES, Guillermo. A longa história das notícias falsas. *El País*, 18 jun. 2018. Disponível em: https://brasil.elpais.com/brasil/2018/06/08/cultura/1528467298_389944.html. Acesso em: 7 fev. 2022.

ANGELOU, Maya. *Eu sei por que o pássaro canta na gaiola.* São Paulo: Astral Cultural, 2018.

AOUN, Joseph. E. *Robot-Proof*: Higher Education in the Age of Artificial Intelligence. Cambridge, MA: MIT Press, 2017.

ARTHUR, William B. *The Nature of Technology*: What it is and How it Evolves. Nova York: The Free Press/Penguin Books, 2009.

ATTALI, Jacques. *Uma breve história do futuro.* São Paulo: Novo Século, 2018.

AUTOR, David H. *Essays on the Changing Labor Market*: Computerization, Inequality, and the Development of the Contingent Work Force. Tese (doutorado) – Universidade Harvard, Cambridge (MA), 1999. Disponível em: https://research.upjohn.org/dissertation_awards/34/. Acesso em: 7 fev. 2022.

B-BOX: 1st Ever Hive Designed For Home Beekeeping. Disponível em: https://www.indiegogo.com/projects/b-box-1st-ever-hive-designed-for-home-beekeeping#/. Acesso em: 7 fev. 2022.

BACON, Francis; MORE, Thomas; NEVILLE, Henry. *Three Early Modern Utopias*: Utopia, New Atlantis, The Isle of Pines. Oxford: Oxford University Press, 2009.

BALDWIN, Richard. *The Globotics Upheaval*: Globalization, Robotics, and the Future of Work. Oxford: Oxford University Press, 2019a.

________. *The Great Convergence*: Information Technology and the New Globalization. Cambridge, MA: Belknap Press, 2019b.

BAUMAN, Zygmunt. *Tempos líquidos*. Rio de Janeiro: Zahar, 2007.

BAYLIS, Françoise. *Altered Inheritance*: CRISPR and the Ethics of Human Genome Editing. Cambridge, MA: Harvard University Press, 2019.

BEAUDRY, Paul; GREEN, David A.; SAND, Benjamin M. The Great Reversal in the Demand for Skill and Cognitive Tasks. *NBER Working Paper*, n. 18901, mar. 2013. Disponível em: https://www.nber.org/papers/w18901. Acesso em: 7 fev. 2022.

BENNIS, Warren. *On Becoming a Leader*. 4. ed. Nova York: Basic Books, 2016.

BHALLA, Vikram; DYRCHS, Susanne; STRACK, Rainer. *Twelve Forces That Will Radically Change How Organizations Work*. 27 mar. 2017. Disponível em: https://www.bcg.com/publications/2017/people-organization-strategy-twelve-forces-radically-change-organizations-work.aspx. Acesso em: 7 fev. 2022.

BLOCOS de montar Lego para construir coisas reais. 8 ago. 2017. Disponível em: https://constru360.com.br/blocos-de-montar-lego-para-construir-coisas-reais/. Acesso em: 7 fev. 2022.

BONADIO, Steve. *How to Accelerate Innovation through Challenge Driven Innovation*. 17 out. 2011. Disponível em: https://innovationmanagement.

se/2011/10/17/how-to-accelerate-innovation-through-challenge-driven-innovation/. Acesso em: 7 fev. 2022.

BROUSSARD, Meredith. *Artificial Unintelligence*: How Computers Misunderstand the World. Cambridge, MA: MIT Press, 2018.

BROWN, Tim. *Design Thinking*: Uma metodologia poderosa para decretar o fim das velhas ideias. São Paulo: Alta Books, 2017.

BRYNJOLFSSON, Erik; MCAFEE, Andrew. *Race Against the Machine*: How the Digital Revolution Is Accelerating Innovation, Driving Productivity, and Transforming Employment. Digital Frontier Press, 2012.

_________. *A segunda era das máquinas*. São Paulo: Alta Books, 2015.

_________. *Machine Platform Crowd*: Harnessing Our Digital Future. Nova York: W. W. Norton & Company, 2017.

CANTON, James. *Future Smart*: Managing the Game-Changing Trends that Will Transform Your World. Boston: Da Capo Press, 2015.

CAPRA, Fritjof. *O tao da Física*: uma análise dos paralelos entre a física moderna e misticismo oriental. São Paulo: Cultrix, 2011.

CHAMORRO-PREMUZIC, Tomas et al. *Confidence, Emotional Intelligence*. Cambridge, MA: Harvard Business Review Press, 2019.

CHINA'S Digital Silk Road: Strategic Technological Competition and Exporting Political Illiberalism. 26 set. 2019. Disponível em: https://www.cfr.org/blog/chinas-digital-silk-road-strategic-technological-competition-and-exporting-political. Acesso em: 7 fev. 2022.

DAUGHERTY, Paul R.; WILSON, H. James. *Human + Machine*: Reimagining Work in the Age of AI. Cambridge, MA: Harvard Business Review Press, 2018.

DAVENPORT, Thomas H. *The AI Advantage*: How to Put the Artificial Intelligence Revolution to Work (Management on the Cutting Edge). Cambridge, MA: MIT Press, 2019.

DAY, George S.; SCHOEMAKER, Paul J. H. *See Sooner, Act Faster*: How Vigilant Leaders Thrive in an Era of Digital Turbulence. Cambridge, MA: MIT Press, 2019.

DELONG, James B.; SUMMERS, Lawrence H. Equipment Investment and Economic Growth. *NBER Working Paper*, n. w3515, nov. 1990. Disponível em: https://papers.ssrn.com/sol3/papers.cfm?abstract_id=226830. Acesso em: 7 fev. 2022.

DIAKOPOULOS, Nicholas. *Automating the News*: How Algorithms Are Rewriting the Media. Cambridge, MA: Harvard University Press, 2019.

DIÓGENES, Juliana. Quem são os jovens 'nem-nem-nem': não estudam, não trabalham e não estão procurando emprego. *O Estado de S.Paulo*, 1º maio 2019. Disponível em: https://brasil.estadao.com.br/noticias/geral,quem-sao-os-jovens--nem-nem-nem-nao-estudam-nao-trabalham-e-nao-estao-procurando-emprego,70002811210. Acesso em: 7 fev. 2022.

DUMONT, Santos. *O que eu vi, o que nós veremos*. São Paulo: Hedra, 2016.

DUMOUCHEL, Paul; DAMIANO, Luisa. *Living with Robots*. Cambridge, MA: Harvard University Press, 2017.

FORD, Martin. *Rise of the Robots*: Technology and the Threat of a Jobless Future. Nova York: Basic Books, 2016.

_________. *Architects of Intelligence*: The truth about AI from the people building it. Birmingham: Packt Publishing, 2018.

FREY, Carl B. *The Technology Trap*: Capital, Labor, and Power in the Age of Automation. Princeton: Princeton University Press, 2019.

FULLER, Richard B. *Critical Path*. Nova York: St. Martin's Griffin, 1982.

GEE, James P. *Teaching, Learning, Literacy in Our High-Risk High-Tech World*: A Framework for Becoming Human. Nova York: Teachers College Press, 2017.

GERSHENFELD, Alan; GERSHENFELD, Neil; CUTCHER-GERSHENFELD, Joel. *Designing Reality*: How to Survive and Thrive in the Third Digital Revolution. Nova York: Basic Books, 2017.

GIBSON, William. *Neuromancer*. São Paulo: Aleph, 2016.

GILLIN, Paul. *The New Influencers*: A Marketer's Guide to the New Social Media. Fresno: Linden Publishing, 2007.

GODIN, Benoît. *Models of Innovation*: The History of an Idea. Series Inside Technology. Cambridge, MA: MIT Press, 2017.

GOLEMAN, Daniel; SONNENFELD, Jeffrey A.; ACHOR, Shawn. *Resiliência*. Rio de Janeiro: Sextante, 2020.

GOLEMAN, Daniel et al. *Empathy*. Cambridge, MA: Harvard Business Review Press, 2019a.

_________. *Happiness*. Cambridge, MA: Harvard Business Review Press, 2019b.

_________. *Mindfullness*. Cambridge, MA: Harvard Business Review Press, 2019c.

GOODFELLOW, Ian; BENGIO, Yoshua; COURVILLE, Aaron. *Deep Learning*. Cambridge, MA: MIT Press, 2016.

GRIGORI, Pedro. Meio bilhão de abelhas morreram no Brasil – e isso é uma péssima notícia. *Exame*, 16 mar. 2019. Disponível em: https://exame.com/brasil/meio-bilhao-de-abelhas-morreram-no-brasil-e-isso-e-uma-pessima-noticia/. Acesso em: 7 fev. 2022.

GUILFORD, Joy P. Creativity. *American Psychologist*, v. 5, n. 9, p. 444-454, 1950.

HAMMER, Mitchell R.; GUDYKUNST, William B.; WISEMAN, Richard L. Dimensions of intercultural effectiveness: An exploratory study. *International Journal of Intercultural Relations*, v. 2, n. 4, 1978, p. 382-393. Disponível em: https://www.sciencedirect.com/science/article/abs/pii/0147176778900366. Acesso em: 7 fev. 2022.

HARRIS, Malcolm. Keynes was wrong. Gen Z will have it worse. *MIT Technology Review*, 16 dez. 2019. Disponível em: https://www.technologyreview.com/s/614892/keynes-was-wrong-gen-z-will-have-it-worse/. Acesso em: 7 fev. 2022.

HARTLEY, Scott. *O fuzzy e o techie*: por que as ciências humanas vão dominar o mundo digital. São Paulo: BEÏ, 2018.

HASKEL, Jonathan; WESTLAKE, Stian. *Capitalism without Capital*: The Rise of the Intangible Economy. Princeton: Princeton University Press; Reprint edition, 2018.

HILTON, Steve; BADE, Scott; BADE, Jason. *More Human*: Designing a World Where People Come First. Nova York: PublicAffairs, 2016.

HIPPEL, Eric von. *Free Innovation*. Cambridge, MA: MIT Press, 2016.

HOBSBAWM, Eric. *Era dos extremos*: o breve século XX – 1914-1991. São Paulo: Companhia das Letras, 1995.

HOWGEGO, Joshua. What the quark?! Why matter's most basic building blocks may not exist. *NewScientist*, 2 out. 2019. Disponível em: https://www.newscientist.com/article/mg24332500-900-what-the-quark-why-matters-most-basic-building-blocks-may-not-exist/#ixzz7KDWIImrR. Acesso em: 7 fev. 2022.

HOWKINS, John. *Economia criativa*: como ganhar dinheiro com ideias criativas. São Paulo: MBooks, 2012.

ISAACSON, Walter. *Os inovadores*: uma biografia da revolução digital. São Paulo: Companhia das Letras, 2014.

KAISER, David. *How the Hippies Saved Physics*: Science, Counterculture, and the Quantum Revival. Nova York: W. W. Norton & Company, 2011.

KAPLAN, Sarah. *The 360° Corporation*: From Stakeholder Trade-offs to Transformation. Redwood City: Stanford University Press, 2019.

KARPATI, Andrea. Digital Literacy in Education. IITE Policy Brief, maio 2011. Disponível em: https://unesdoc.unesco.org/ark:/48223/pf0000214485. Acesso em: 7 fev. 2022.

KĀTZ, Barry M. *Make It New*: A History of Silicon Valley Design. Cambridge, MA: MIT Press, 2015.

KELLY III, John E. *Smart Machines*: IBM's Watson and the Era of Cognitive Computing. Nova York: Columbia Business School Publishing, 2013.

KEYNES, John Maynard. *Teoria geral do emprego, do juro e da moeda*. São Paulo: Saraiva, 2012.

KRIES, Mateo. *Hello, Robot*: Design Between Human and Machine. Vitra Design Museum, 2017.

KURZWEIL, Ray. *A singularidade está próxima*: quando os humanos transcendem a biologia. São Paulo: Iluminuras, 2018.

LEE, Edward A. *Plato and the Nerd*: The Creative Partnership of Humans and Technology. Cambridge, MA: MIT Press, 2017.

LEE, Kai-Fu. *AI Superpowers*: China, Silicon Valley, and the New World Order. Nova York: Houghton Mifflin Harcourt, 2018.

LINDKVIST, Magnus. *The Future Book*: 40 Ways to Future-Proof Your Work and Life. Lid Publishing, 2016.

LÓREAL lança adesivo para unha que mede a exposição ao sol e protege contra câncer de pele. Disponível em: https://www.loreal.com.br/imprensa/not%C3%ADcias/2018/jan/loreal-lanca-adesivo-para-unha-que-mede-a-exposicao-ao-sol-e-protege-contra-cancer-de-pele. Acesso em: 7 abr. 2022.

LÓREAL USA. *Introducing UV Sense, the first battery-free wearable electronic UV sensor*. Youtube, 7 jan. 2018. Disponível em: https://www.youtube.com/watch?v=agj10Kbvp-4. Acesso em: 7 abr. 2022.

LOVELOCK, James. *Novacene*: The Coming Age of Hyperintelligence. Cambridge, MA: MIT Press, 2019.

LUDD, Ned. *Apocalipse motorizado*: a tirania do automóvel em um planeta poluído. São Paulo: Conrad, 2004.

MARCHESE, Kieron. Restaurant will serve 3D-printed sushi based on customer's saliva and urine. *Design Boom*, 15 mar. 2019. Disponível em: https://www.designboom.com/technology/open-meals-3d-printed-sushi-based-on-customers-saliva-and-urine-03-15-2019/. Acesso em: 7 fev. 2022.

MARINI, Eduardo. Entenda o que é o Movimento Maker e como ele chegou à educação. *Revista Educação*, 22 fev. 2019. Disponível em: https://revistaeducacao.com.br/2019/02/22/movimento-maker-educacao/. Acesso em: 7 fev. 2022.

MASLIN, Mark. Why coronavirus is the time for climate change action – and optimism. *NewScientist*, 8 jul. 2020. Disponível em:

https://www.newscientist.com/article/mg24732903-700-why-coronavirus-is-the-time-for-climate-change-action-and-optimism/#ixzz6RoJUxqc8. Acesso em: 7 fev. 2022.

McCHRYSTAL, Stanley A. *Team of Teams*: New Rules of Engagement for a Complex World. Nova York: Portfolio, 2015.

McCRAW, Thomas K. O *profeta da inovação*: Joseph Schumpeter e a destruição criativa. Rio de Janeiro: Record, 2012.

MILANOVIC, Branko. *Capitalism Alone*: The Future of the System That Rules the World. Cambridge, MA: Belknap Press, 2019.

MONTFORT, Nick. *The Future*. MIT Press Essential Knowledge Series. Cambridge, MA: MIT Press, 2017.

MORO, Andrea. *Impossible Languages*. Cambridge, MA: MIT Press, 2016.

MUKHERJEE, Amit S. *Leading in the Digital World*: How to Foster Creativity, Collaboration and Inclusivity. Cambridge, MA: MIT Press, 2020.

NUNES, Paul; DOWNES, Larry. *Big Bang Disruption*: Business Survival in the Age of Constant Innovation. Nova York: Penguin, 2015.

OBERHAUS, Daniel. *Extraterrestrial Languages*. Cambridge, MA: MIT Press, 2019.

ORDINE, Nuccio. *A utilidade do inútil*: um manifesto. Rio de Janeiro: Zahar, 2016.

PARKER, Geoffrey G.; VAN ALSTYNE, Marshall W.; CHOUDARY, Sangeet Paul. *Platform Revolution*: How Networked Markets Are Transforming the Economy and How to Make Them Work for You. Nova York: W. W. Norton & Company, 2017.

PÉREZ, Carlota. *Technological Revolutions and Financial Capital*: The Dynamics of Bubbles and Golden Ages. Cheltenham: Edward Elgar Publishing, 2003.

PINKER, Steven. *O novo Iluminismo*: em defesa da razão, da ciência e do humanismo. São Paulo: Companhia das Letras, 2018.

PISTONO, Federico. *Os robôs vão roubar seu trabalho, mas tudo bem*: como sobreviver ao colapso econômico e ser feliz. São Paulo: Portfolio-Penguin, 2017.

POTTS, Jason. *Innovation Commons*: The Origin of Economic Growth. Oxford: Oxford University Press, 2019.

REDAÇÃO CASA VOGUE. Maior arranha-céu de madeira do mundo é inaugurado em Vancouver. *Casa Vogue*, 22 set. 2017. Disponível em: https://casavogue.globo.com/Arquitetura/Edificios/noticia/2017/09/maior-arranha-ceu-de-madeira-do-mundo-e-inaugurado-em-vancouver.html. Acesso em: 7 fev. 2022.

REDAÇÃO EXAME. Hospital em 10 dias e outras vezes que a engenharia chinesa chocou o mundo. *Exame*, 4 fev. 2020. Disponível em: https://exame.abril.

com.br/mundo/hospital-em-10-dias-e-outras-vezes-que-a-engenharia-chinesa-chocou-o-mundo/. Acesso em: 7 fev. 2022.

REES, Martin. *On the Future*: Prospects for Humanity. Princeton: Princeton University Press, 2018.

REESE, Byron. *The Fourth Age*: Smart Robots, Conscious Computers, and the Future of Humanity. Nova York: Atria Books, 2018.

REVOLUÇÃO BANDNEWS. Disponível em: http://www.revolucaobandnewsfm.com.br/?s=stanford. Acesso em: 7 fev. 2022.

RIDLEY, Matt. *O otimista racional*: por que o mundo melhora. Rio de Janeiro: Record, 2014.

RIFKIN, Jeremy. *Sociedade com custo marginal zero.* São Paulo: M.Books, 2015.

ROSENBAUM, Steven. The Craigslist Economy Is Booming. *Forbes*, 26 jan. 2015. Disponível em: http://www.forbes.com/sites/stevenrosenbaum/2015/01/26/the-craigslist-economy-is-booming/#5c2988487c1e. Acesso em: 7 fev. 2022.

ROSS, Alec. *The Industries of the Future*. Nova York: Simon & Schuster, 2016.

ROTHBLATT, Martine. *Virtualmente humanos*: as promessas e os perigos da imortalidade digital. São Paulo: Cultrix, 2016.

ROYSTON-CLAIRE, Gem. How to make friends at university. *Cosmopolitan*, 22 ago. 2018. Disponível em: https://www.cosmopolitan.com/uk/worklife/campus/a29826/how-to-make-friends-at-university/. Acesso em: 7 fev. 2022.

SAHD, Luiza. 'Guru' dos nossos tempos, Yuval Harari aponta os cenários pós-pandemia. *TAB Uol*, 28 mar. 2020. Disponível em: https://tab.uol.com.br/noticias/redacao/2020/03/28/guru-dos-nossos-tempos-yuval-harari-aponta-os-cenarios-pos-pandemia.htm. Acesso em: 7 fev. 2022.

SARDAR, Ziauddin. *The Postnormal Times Reader*. Herndon: International Institute of Islamic Thought, 2019.

SAUTOY, Marcus du. *The Creativity Code*: Art and Innovation in the Age of AI. Cambridge, MA: Belknap Press, 2020.

SAX, David. *A vingança dos analógicos*: por que os objetos de verdade ainda são importantes. Rio de Janeiro: Rocco, 2017.

SCHAMA, Simon. *O poder da arte.* São Paulo: Companhia das Letras, 2010.

SCHARMER, Claus O. *Teoria U*: como liderar pela percepção e realização do futuro emergente. São Paulo: Alta Books, 2019.

SCHUMPETER, Joseph A. *Business Cycles*: A Theoretical, Historical, Statistical Analysis of the Capitalist Process. Martino Publishing, 1938, 2014.

SCHWAB, Klaus M. *A Quarta Revolução Industrial.* São Paulo: Edipro, 2019.

SEJNOWSKI, Terrence J. *The Deep Learning Revolution.* Cambridge, MA: MIT Press, 2018.

SEVCIUC, Carolina. *Nestlé cria funcionalidades para Alexa.* 23 out. 2019. Disponível em: https://www.clientesa.com.br/tecnologia/69479/nestle-cria-funcionalidades-para-alexa. Acesso em: 7 fev. 2022.

SIEGFRIED, Tom. *The Number of the Heavens*: A History of the Multiverse and the Quest to Understand the Cosmos. Cambridge, MA: Harvard University Press, 2019.

SMITH, Adam. *A riqueza das nações.* São Paulo: WMF Martins Fontes, 2015.

SNYDER, Bill. *Irv Grousbeck: The Power of "I Don't Know".* 13 dez. 2019. Disponível em: https://www.gsb.stanford.edu/insights/irv-grousbeck-power-i-dont-know. Acesso em: 7 fev. 2022.

ELYSIUM. Disponível em: https://www.elysiumhealth.com/en-us/index. Acesso em: 7 fev. 2022.

SRNICEK, Nick; WILLIAMS, Alex. *Inventing the Future*: Postcapitalism and a World Without Work. Ed. revista e atualizada. Nova York: Verso, 2016.

STANDING, Guy. *O Precariado*: a nova classe perigosa. Belo Horizonte: Autêntica, 2013.

STROGATZ, Steven. *A matemática do dia a dia.* São Paulo: Alta Books, 2017.

TEGMARK, Max. *Life 3.0 Being Human in the Age of Artificial Intelligence.* Nova York: Vintage, 2018.

THE UNIVERSITY OF SIDNEY. *How to make friends at university.* 9 set. 2016. Disponível em: https://sydney.edu.au/campus-life/student-news/2016/09/09/how-to-make-friends-at-university.html. Acesso em: 7 fev. 2022.

TOFFLER, Alvin. *A terceira onda.* Rio de Janeiro: Record, 1981.

TYTLER, Alexander F. *Universal History From the Creation of the World to the Beginning of the Eighteenth Century.* Sagwan Press, 2015.

VERDÉLIO, Andreia. 23% dos brasileiros não trabalham nem estudam. *Agência Brasil*, 3 dez. 2018. Disponível em: http://agenciabrasil.ebc.com.br/geral/noticia/2018-12/ipea-23-dos-jovens-brasileiros-nao-trabalham-e-nem-estudam. Acesso em: 7 fev. 2022.

WAGNER, Tony. *Creating Innovators*: The Making of Young People Who Will Change the World. Nova York: Scribner Book Company, 2015.

WALL, Karin. How to Manage in the Age of Turbulence. Disponível em: https://innovationmanagement.se/2010/05/24/how-to-manage-in-the-age-of-turbulence/. Acesso em: 7 fev. 2022.

WHITE, Christopher G. *Other Worlds*: Spirituality and the Search for Invisible Dimensions. Cambridge, MA: Harvard University Press, 2018.

WILSON, Edward O. *O sentido da existência humana*. São Paulo: Companhia das Letras, 2018.

WULF, Andrea. *A invenção da natureza*: a vida e as descobertas de Alexander von Humboldt. São Paulo: Planeta, 2016.

XLE, Jenny. *'Lego House' designed by Bjarke Ingels is finally open*. 28 set. 2017. Disponível em: https://www.curbed.com/2017/3/8/14859710/lego-house-denmark-opening-bjarke-ingels. Acesso em: 7 fev. 2022.

YOURCENAR, Marguerite. *Memórias de Adriano*. 24. ed. Rio de Janeiro: Nova Fronteira, 2019.